MADAME SARAH

AN VAN 'T OOSTEN

Madame Sarah

Davidsfonds/Infodok

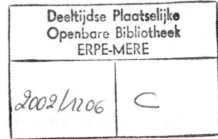

'Als iemand dood is
hou je dan op met houden van
en als dat zo is
waar blijft dat dan?'

Uit: *Met de wind mee naar de zee*, Guus Kuijer
Em. Querido, isbn 90 2147 272 4

Verantwoording:
De genoemde versjes *Kadoze, kaduize, de koning gaat verhuizen*
en *Hendrik Haan* zijn van Annie M.G. Schmidt uit:
Ziezo, Em. Querido, Amsterdam 1991.

Oosten, An van 't
Madame Sarah

© 2002, An van 't Oosten en Davidsfonds Uitgeverij NV
Blijde-Inkomststraat 79-81, 3000 Leuven
Omslagillustratie: Jan de Maesschalck
Vormgeving: Peer de Maeyer
D/2002/2952/20
ISBN 90 5908 025 4
NUR 283, 284

STICHTING NEDERLANDSE
KINDERJURY
2003

1

Het is doodstil in het huis aan de gracht. Sarah ligt nog in bed met haar ogen wijd open. In haar armen klemt ze een haas van zachte stof. Met zijn lange oren aait ze over haar wang. Buiten zingt een merel.

Zonder geluid te maken, glijdt Sarah uit bed en loopt naar een plank vol knuffelbeesten. Ze pakt een beertje en verwisselt het even later voor een langharig hondje. Ze kijkt van de ene naar de andere knuffel. Opeens zet ze de dieren resoluut terug. Met de haas tegen zich aangedrukt loopt ze op blote voeten naar de gang en doet de kamerdeur naast de hare open.

In het vertrek staat een langwerpige houten kist op een metalen onderstel. Twee dikke kaarsen branden bij het hoofdeinde.

Sarah kijkt lang naar de dode man in de kist. Ze bukt zich en kust zijn gezicht.

'Wat ben je koud geworden', fluistert ze.

Voorzichtig duwt ze het laken een stukje opzij en legt de haas naast de dode man.

'Huppel mag met jou mee.'

Ze trekt het laken recht.

'Dag papa!'

Even later kruipt ze weer in haar nog warme bed en luistert naar de geluiden in huis.

Later op de ochtend wordt er een paar keer aangebeld. Stemmen praten gedempt in de gang.

Sarah komt met tegenzin uit bed en treuzelt voor haar klerenkast.

Als er voetstappen voor haar kamerdeur stilhouden, zucht ze diep.

'Sarah?'

Een vrouw komt de kamer binnen.

'Zal tante Monica je helpen uitzoeken wat je aantrekt vandaag?'

'Ik ben bijna elf hoor!' zegt ze.

Als Sarah de huiskamer binnengaat, verstommen de stemmen en staren ernstige gezichten haar aan.

'Daaag', zegt ze.

'Kom je hier zitten?'

Het is oom Thomas die dat vraagt. Hij schuift een stoel naast de zijne.

'Ik zit bij jou in de volgauto', fluistert hij.

Een man in een zwart pak en met een hoge zwarte hoed in de hand komt de kamer binnen.

'Wij gaan de kist sluiten. Wil er nog iemand afscheid nemen?'

Thomas zegt zacht: 'Wil jij je vader nog zien?'

Sarah schudt haar hoofd.

Er is geroezemoes in de kamer, maar niemand staat op.

'Dan sluiten wij nu de kist', zegt de man.

Na een kwartier komt hij weer binnen.

'Wij kunnen vertrekken, de auto's staan voor.'

Thomas pakt Sarahs hand.

Buiten in de zon houdt een man in zwarte kleren het portier van een glanzende auto open.

Sarah zit naast Thomas in de auto.

'Ik kan niet eens naar buiten kijken', zegt ze.

Achter in de auto klinkt het geluid van een damestas die open en dicht knipt. De geur van eau de cologne verspreidt zich.

'Ze was vanmorgen ook al zo dwars', fluistert een harde stem. 'Dat zal straks nog wat worden. Dat zo'n kind dat ook twee keer moet meemaken. Als ik naar zo'n weesje kijk, kan ik me niet inhouden. Ik ben ook zo'n gevoelig type!'

Thomas draait zich om.

'Zeg, Monica...'

Zijn stem klinkt dreigend.

'Jij hebt makkelijk praten', snibt Monica. 'Jij bent zo'n harde!'

'Godgloeiend', mompelt Thomas.

'Godgloeiend', herhaalt Sarah.

Geschrokken kijkt Thomas haar aan.

Sarah glimlacht naar hem en legt haar hand op zijn knie.

De rit duurt niet lang. De auto's stoppen voor een hoog hek met ijzeren spijlen. Een groepje mensen staat hen op te wachten. Sarah kijkt om of de anderen ook zijn uitgestapt. Dan loopt ze achter de mannen in het zwart naar een klein gebouw met een koepelvormig dak dat verscholen tussen de bomen staat. Binnen branden kaarsen en klinkt er klassieke muziek. In het midden van de ruimte staat de kist.

Iedereen gaat in een kring om de kist staan. Eén van de mannen in het zwart neemt het woord. Hij praat langzaam en soms lijkt het of hij zingt.

Sarah kijkt naar de strakke gezichten. Ze voelt een lachkriebel opkomen en houdt haar hand voor haar mond.

'Ze staat gewoon te lachen', sist Monica.

Als Thomas Monica aankijkt, zwijgt ze.

Zes mannen rijden de kist naar buiten. Ze lopen over een schelpenpad en houden stil bij een stuk grond waarin een kuil is gegraven. De aarde ligt in hopen eromheen. De mannen laten de kist een stukje in het gat zakken, maar de bovenkant steekt er nog bovenuit.

'Wil iemand van de familie nog iets zeggen?'

'Thomas, jij als enige broer toch zeker wel!' fluistert Monica hard.

Thomas knijpt even in Sarahs hand en stapt naar voren.

'Je weet wat ik zeggen wil, hè broertje?'

Zijn stem is schor. Hij bukt zich en geeft klopjes op de kist. Even is het doodstil, maar al snel wordt die stilte doorbroken door kuchen en het snuiten van neuzen.

Eén van de zwarte mannen dringt zich naar voren.

'Namens de familie bedank ik de aanwezigen voor hun belangstelling.'

Hij pakt een mand met bloemblaadjes en houdt die voor Sarah.

'Strooi maar', zegt hij.

Sarah graait met twee handen in de mand. De kleurige blaadjes dwarrelen in het graf. Ze doet het nog eens.

'Genoeg hoor', zegt Thomas zacht.

Sarah geeft hem een hand en weer lopen ze achter de mannen aan.

Thomas schraapt zijn keel en wijst naar een laag gebouw. 'We gaan daar eerst koffiedrinken. Daarna rijden we terug naar jullie huis.'

Iemand geeft Sarah een plak cake op een schoteltje.

'Is er iets te drinken voor haar?' vraagt Thomas.

Mensen die Sarah niet kent, geven haar een hand en mompelen iets.

Als iedereen koffiedrinkt en de stemmen steeds drukker en luider worden, glipt Sarah naar buiten.

De zonnestralen weerkaatsen vrolijk in het glanzende marmer van de grafzerken. Een zoele wind beweegt de bladeren van de bomen. De bloeiende rozenstruiken geuren zoet. Een oude dame staat bij de waterpomp en vult een gieter.

Sarah loopt terug naar het graf. Ze hurkt en haalt een mondharmonica te voorschijn.

'Zal ik nog een afscheidsliedje voor je spelen, papa? Dan doe ik *Kadoze, Kaduize, de koning gaat verhuizen,* goed?'

De schrille tonen klinken eenzaam over de begraafplaats.

Sarah raapt de bloemblaadjes op die naast het graf zijn terechtgekomen en laat ze op de kist vallen.

'Je was ineens weg. Waar was je? Wat heb je gedaan?' vraagt Thomas.

'O, niks', zegt ze.

Als ze terug zijn in het huis op de gracht, zijn er nog maar enkele mensen over. Sarah zit op een poef en pulkt aan een broodje met kaas.

Een vrouwenstem zegt zacht: 'Ik zou haar wel willen adopteren.'

'Wat heb jij haar nou te bieden, Fie?' zegt Monica. 'Een vrouw alleen, en dan nog zonder baan! Karel en ik zouden in alle opzichten het meest geschikt zijn, maar ik mag het risico niet nemen met mijn hart.'

'Vader en ik vormen geen gezin, da's niks voor een kind', mompelt Thomas.

'Praat me niet van je vader', zegt Monica. 'Het is ronduit schandalig dat hij niet eens naar de begrafenis van zijn zoon komt. Wat er ook is geweest, je gaat naar de begrafenis van je zoon, vind ik!'

Ze frunnikt aan haar handtas, knipt hem open en dicht en zegt dan: 'Overigens, Sarah is wel zijn kleinkind. Het zou niet gek zijn als hij de verantwoordelijkheid daarvoor op zich neemt.'

'Welk kind wil er nou bij mijn vader wonen?' zegt Thomas.

'Ze heeft in de gegeven omstandigheden niets te willen', zegt Monica.

'Niet te geloven', zucht Fie.

'Karel en ik willen gerust het spits afbijten en haar nu meteen een weekje meenemen, maar het is een probleem dat opgelost moet worden.'

Sarah glipt de gang in. In haar slaapkamer doet ze haar jurk uit en trekt een spijkerbroek en een trui aan. Haar schoenen verwisselt ze voor gympen. In een rugzak propt ze een jasje, een kampeermatrasje, een zaklantaarn en haar mondharmonica. Daarna sluipt ze de trap op naar de zolder. Even staat ze voor het grote tuimelraam en staart ze over de daken. Er wellen tranen op in haar ogen. Dan draait ze zich abrupt om.

Op een tafel liggen penselen en tubes verf. Sarah pakt een onafgemaakt mannenportret dat op een schildersezel staat en gaat terug naar haar kamer. Ze wikkelt het in een handdoek en stopt het bij de andere spullen in de rugzak. Op haar tenen loopt ze de gang in. De huisdeur laat ze zacht achter zich in het slot glijden.

9

2

Sarah loopt naar de hoek van de gracht. Op de brug treuzelt ze en buigt zich over de leuning.

Er valt een klodder spuug in het water.

'Voor het geluk', zegt ze.

Sarah steekt de straat over en gaat in het wachthuisje van de tramhalte zitten. Na een paar minuten komen er meer mensen die emmertjes, schepjes en felgekleurde ballen bij zich hebben.

'Heb jij geen speelgoed bij je?' vraagt een jongetje.

'Nee', zegt ze.

De tram komt de bocht om. Iedereen verspreidt zich over het tramperron om maar zo snel mogelijk te kunnen instappen.

Sarah stapt in en loopt naar achteren. Snel kruipt ze in een hoekje bij het raam. De haltes kent ze uit haar hoofd. Ze heeft dikwijls genoeg met haar vader in deze tram gezeten. Eerst rijdt hij langs het park. Sarah kijkt nieuwsgierig of er wat te doen is. Vaak staan op de speelweiden kleurig gestreepte tenten van een circus of een kermis. Nu is er een antiek- en rommelmarkt. Sarah hoort flarden muziek uit de luidsprekers schallen en stemmen die door elkaar heen schetteren.

De tram rijdt verder langs de lange gracht met aan de ene kant statige huizen en aan de andere kant moderne kantoren. Sarah doet haar ogen dicht. Als ze takken en bladeren van bomen langs de zijkanten van de tram hoort ritselen, weet ze dat ze er bijna is.

'Eindpunt! Strand!' roept de trambestuurder.

Iedereen stapt uit. Sarah loopt met de stroom mee die in de richting van het strand gaat. Sommige mensen laten zich in de stoelen van het eerste het beste restaurant op de boulevard neerploffen. Anderen kiezen voor de houten terrassen op het strand met hun felgekleurde ligstoelen en vrolijke parasols. Een kleine groep loopt door naar het einde van de boulevard.

Sarah loopt in de richting van de pier. Al zo lang wil ze daar eens een kijkje nemen, maar haar vader ging veel liever naar de havenhoofden; de zware stenen dammen bij de mond van de haven. Ze weifelt bij de treden van de pier, maar loopt verder naar het eind van de boulevard en gaat daar het strand op.

Ze knoopt haar gympen aan haar rugzak vast en loopt dicht langs de zee. Het zand is er hard en nat. Dat wandelt veel lekkerder dan het droge, witte zand waarop mensen liggen te zonnen. De zee is vol witte schuimkoppen en ruist in haar oren. De golven spatten haar voeten nat.

'Help je mee een fort bouwen?'
Een meisje dat aan het graven is, roept haar.
Sarah laat de rugzak van haar schouders glijden.
'Goed.'
Ze pakt de schep en steekt hem in het zand.
'Ik heet Marleen', zegt het meisje. 'Zal ik emmertjes nat zand halen?'
Sarah knikt.
Telkens wijst ze waar Marleen het emmertje moet omkeren. Daarna slaat ze met de schep op de natte vormen en steekt de ronde kanten weg.
'Ik heb dorst', zegt Marleen na een poosje. 'Ga je mee wat te drinken halen bij mijn moeder?'
'Ik pas op het fort.'
Als Marleen terugkomt met blikjes limonade en een plastic doos met boterhammen, gaan ze samen bij het fort zitten eten.
'Ben jij alleen?'
Sarah knikt.
'Ik mag nooit eens ergens alleen naar toe! Mijn moeder zegt dat er overal kinderlokkers kunnen zijn.'
'Ik ga verder bouwen', zegt Sarah.
Ze scheppen en kneden het natte zand tot torens en kantelen en graven een geul tot aan de vloedlijn. Een dun stroompje zeewater loopt het kanaal in.

'Ik heb water nodig', commandeert Sarah.

Marleen holt weg en draagt overvolle emmertjes aan. Sarah giet ze voorzichtig leeg in de geul. Ze stapt in het kersverse kanaal met kletsende stappen; het water spat hoog op.

'Ik vind een fort bouwen niet meer leuk', zegt Sarah. 'Zal ik je begraven?'

Marleen knikt enthousiast. Meteen vliegen scheppen vol zand door de lucht. Al snel ontstaat er een langwerpige kuil waarin Marleen languit gaat liggen.

'Even passen. Moet hij nog dieper voor mij?'

'Stukken dieper! Graaf jij maar door! Ik ga schelpen zoeken.'

Sarah pakt het emmertje.

'Schelpen? Waarvoor?'

'Dat hoort zo! Voordat je een kuil dichtgooit, moet je eerst met iets strooien.'

Langs de vloedlijn ligt een lange rand van schelpen. Het zeewater spoelt er telkens tegenaan en rolt daarna weer terug, tot de volgende golfslag.

Sarah hurkt en vult het emmertje. Eén schelp houdt ze apart. Ze bekijkt hem. Het is een gedraaide schelp met stekels. Ze spoelt hem zorgvuldig af en laat hem van haar ene hand in de andere rollen. Als Marleen naar haar toe komt, steekt ze de schelp in haar broekzak.

'Waar blijf je nou?' roept Marleen. Haar natte haar plakt op haar voorhoofd. 'De kuil is allang klaar.'

'Ga er dan in liggen, ik kom zo!'

Langzaam loopt ze achter Marleen aan die lachend in de kuil gaat liggen. Een voor een laat Sarah de schelpen vallen.

'Niet op mijn gezicht hoor!'

'Jij kan niet meer praten!'

Sarah schudt het emmertje leeg. Daarna gooit ze zand in de kuil en stampt het stevig aan.

'Ik kan me niet meer bewegen', giechelt Marleen.

'Dat hoort zo!'

Sarah schept door en laat alleen het hoofd en de armen van het meisje vrij.

'Nu jij', zegt Marleen. 'Help me eens om eruit te komen.'

'Dat hoort niet!'

Sarah gooit de schep neer en pakt haar rugzak.

'Hé! Niet weggaan! Je moet me helpen!'

Sarah loopt weg.

'Stommerd! Je moet me helpen!'

'Je bent zelf een stommerd om je te laten begraven als je nog niet dood bent!'

Marleen blijft schreeuwen, maar Sarah geeft geen antwoord meer.

De terrassen worden leger. Een man en vrouw staan op. De man legt enkele munten op een schoteltje. Langzaam wandelen ze weg.

Sarah loopt naar het tafeltje en grist het geld weg. Bij de frietkraam koopt ze een zakje frieten.

'Met mayonaise?' vraagt de man.

'Ja!'

Gulzig eet ze van de warme frieten en slentert terug naar het strand dat nu stil en verlaten is. Ze rolt de pijpen van haar spijkerbroek op en loopt door de onvermoeibaar aanrollende golven tot ze tot aan haar knieën in het water staat. Meeuwen cirkelen boven haar hoofd.

Sarah haalt haar mondharmonica te voorschijn. *Kadoze, Kaduize, de koning gaat verhuizen...*

Steeds verder loopt ze naar het noorden. Haar ogen zoeken de duinen af.

'Daar is ie!' zegt ze.

Een zware betonnen bunker steekt met zijn kop uit het duin. Hij is de grootste in een grijze batterij bunkers uit een zwart verleden. Drie verdiepingen met dichtgemaakte kijksleuven zijn goed te zien vanaf het strand. De rest ligt diep verborgen in het duin en is overwoekerd door helmgras en struiken met distels.

Sarah ploegt door het zand naar de bunker. Voorzichtig klimt ze tussen het prikkeldraad door en klautert het duin op naar de bovenste verdieping van de bunker. Aan de zijkant van de kijksleuf zit een gat. Daar klimt ze handig naar toe. Ze is hier vaker met haar vader geweest en kent de weg.

Sarah gluurt de donkere ruimte in voordat ze naar binnen gaat en houdt haar adem in. Na een paar minuten zijn haar ogen aan de duisternis gewend. Door het gedeelte van de sleuf dat is opengebroken, valt licht naar binnen. Er fladdert iets langs haar gezicht. Ze schreeuwt van angst. Met haar armen beschermt ze haar hoofd en duikt in elkaar. Dan schiet ze in de lach.

'Bangeschijterd, dat is gewoon een van de vleermuizen waar papa over vertelde', zegt ze hardop.

Sarah pakt haar zaklantaarn en beschijnt de muren. In een hoek hangt een kleine vleermuis.

Zeker verdwaald, denkt ze. Papa zei dat groepen vleermuizen in de bunker overwinterden. Hij wist veel van bunkers. Dat er een heleboel soldaten in konden wonen en dat er wc's en trappen waren. En dat de betonnen banken die in de muren gemetseld zaten, britsen heetten en bedden voor de soldaten waren. En dat de muren zo dik waren dat het binnenin een bunker nooit kon vriezen.

Er staan data en tekens op de muren waar ze niets van begrijpt.

Sarah klimt op een brits onder de kijksleuf. Hoewel het grootste gedeelte van de sleuf nog dichtgemetseld zit, kan ze toch een flink gedeelte van het strand overzien. Wit schuimend zeewater rolt met elke nieuwe golfslag met veel kabaal dichter naar de rij bunkers.

Tientallen meeuwen cirkelen boven de zee en het strand. Af en toe duiken ze eensklaps in de bruisende golven, om even later weer omhoog te komen met een prooi in hun snavel die ze gulzig verorberen.

Sarah pakt haar spullen uit haar rugzak. Het portret zet ze tegen de muur. Een poos lijkt ze in gedachten verzonken en speelt ze met haar mondharmonica die ze af en toe aan haar mond zet.

Elke keer klinkt hetzelfde wijsje: *Kadoze, Kaduize, de koning gaat verhuizen...*

Sarah rolt het matrasje uit over de brits en spreidt de handdoek eroverheen. Ze gaat languit liggen en trekt haar jasje over zich heen. Ze luistert naar het geluid van de aanrollende golven. 'Kliauw, kliauw!' schreeuwen de meeuwen.

De strandtenthouders klappen de ligstoelen dicht en stapelen ze op. Ze harken papier en blikjes bij elkaar, legen de afvalbakken en sluiten af. Het wordt fris. De zon is weggezakt in de zee. Het geruis van de branding wordt sterker. Nog slechts een enkeling is op de boulevard te zien.

Als het donker is geworden, vlammen er lichtgevende strepen op in zee. Elke keer als de vuurtoren zijn lichtbundel over het strand en de zee stuurt, is de kop van de grote bunker voor een seconde te zien. Daarna verdwijnt hij weer in de duisternis.

3

Niemand heeft Sarah het huis horen verlaten. De stemmen in de huiskamer zijn heftiger geworden.

'Wil iemand nog iets drinken?' vraagt Fie, maar het geluid van haar stem gaat verloren.

'Ik zou een paar schilderijen wel op prijs stellen!' roept Monica. 'Paul was tenslotte mijn zwager!'

Haar man Karel speelt met zijn glas.

'Hoe staat het eigenlijk met de financiën van Paul?'

'Hij verdiende niet veel met zijn schilderijen', zegt Thomas. 'Voor zover ik heb kunnen nagaan zijn er alleen wat persoonlijke bezittingen. Voor Sarah is er niets geregeld. Paul had niet eens een begrafenisverzekering voor zichzelf.'

'Mooi is dat!' zegt Karel luid.

'Wees niet bang dat ik jou om een bijdrage zal vragen, Karel!'

'Dat moest er nog bijkomen! Het is al erg genoeg dat hij ons met het kind opzadelt.'

'Alsof Paul voor de lol is doodgegaan', snauwt Thomas.

'Wacht eens even', zegt Karel. 'Dat heeft hij aan zichzelf te danken! Met zijn manier van leven... Het kind kan daar weinig aan doen, dat weet ik ook wel, maar...'

'Geld en kritiek op een andere manier van leven is het enige waar jullie het over kunnen hebben!' zegt Thomas. 'Sarah, daar gaat het nu om!'

Er valt een stilte.

'Ik zal informeren naar de mogelijkheden voor een goed pleeggezin', zegt Karel.

Het gezicht van Thomas wordt donkerrood.

'We hebben het niet over een kat die naar een asiel moet!'

'Je weet niet wat je met zo'n kind in huis haalt!'

'Echt een opmerking voor jou, Monica!' zegt Fie.

'Jij was er ook tegen toen onze zus met Paul trouwde, Fie!'

Thomas kijkt geërgerd van de een naar de ander.

'Sarah heeft niemand meer! Dat kind moet zich ellendig voelen!' zegt hij.

'Mijn hart, hè Karel?' zegt Monica.

'Karel en Monica vallen af', zegt Thomas. 'Laten die dan meteen het huis verlaten, dat schept duidelijkheid.'

'Het huis, is dat eigendom van Paul?' vraagt Karel.

Thomas staat op en ijsbeert door het vertrek.

'Het pand is van mijn vader. Hij heeft lang geleden beslist dat Paul er tot zijn dood kon blijven wonen. Voor zijn nakomelingen heeft hij niets geregeld. Ik neem aan dat hij het nu gaat verkopen.'

'Wááát? Is je vader eigenaar?' snerpt de stem van Monica. 'En ze hadden geen enkel contact met elkaar! Hoe kan dat nou?'

Thomas grinnikt. 'Vraag het hem eens.'

'Dat is fraai, moet ik zeggen', zegt Karel.

Monica staat op en strijkt haar jurk glad.

'Kom, Karel, wij gaan naar huis!'

Ze loopt naar Thomas en strekt haar hals voor een kus.

Thomas blijft kaarsrecht staan.

'Ik hoop jou nooit meer te zien', gromt hij.

'Ik zal nog even het kind gedag zeggen voordat ik ga', zegt Monica.

Ze verdwijnt met afgemeten pasjes naar de gang.

'Kreng!' zegt Thomas hartgrondig.

Er valt een stilte.

Karel staat op.

'Ahum, Thomas...'

'Ik ben uitgepraat met jullie', zegt Thomas.

Op dat moment vliegt de deur open en staat Monica in de opening.

'Dat nare kind is nergens te vinden', roept ze. 'Ze heeft zich vast verstopt. Degene die haar in huis neemt, krijgt heel wat met haar te stellen. Dat beloof ik jullie!'

'Nergens te vinden?' herhaalt Thomas.

17

'Misschien is ze buiten gaan spelen?' oppert Fie.

Thomas stapt met grote passen naar de gang en roept: 'Sarah! Sarah! Waar ben je?'

Hij loopt door naar de keuken en rent de trappen op naar de zolder.

Met een spierwit gezicht komt hij terug.

'Ze is weg!'

'Die komt zo weer binnenlopen', zegt Karel.

'Ze heeft zich omgekleed. Als ze ook maar één woord heeft gehoord van ons gesprek, dan...'

'Ga haar zoeken, Thomas', zegt Fie. 'En doe aangifte bij de politie. Ik blijf hier in ieder geval totdat je terugkomt.'

Thomas beent met grote stappen de gang in.

De huisdeur knalt achter hem in het slot.

4

Op de gracht aarzelt Thomas. Waar moet hij Sarah zoeken? Waar speelt ze meestal? Of is ze weggelopen? Hij loopt zo snel mogelijk rondom het huizenblok en kijkt de zijstraten in. Nergens is een spoor van Sarah te bekennen.
'Waar is het dichtstbijzijnde politiebureau?' vraagt hij aan een voorbijganger.
'Bij het plein rechtsaf, dan zie je het vanzelf!'

'Hallo! Waarmee kan ik u helpen?' vraagt een politieagente.
'Mijn nichtje is weg. Kunt u mensen inschakelen om haar te zoeken?'
'Hoe oud is ze?'
'Elf jaar, geloof ik.'
'Wanneer heeft u haar voor het laatst gezien?'
'Een paar uur geleden.'
'Meneer! Als we alle kinderen moeten gaan zoeken die een paar uur van huis weg zijn, hebben we dagwerk. Wacht u eerst maar eens af of ze tegen etenstijd naar huis komt.'
'Het zit zo', begint Thomas. 'Mijn broer... haar vader is vandaag begraven. Misschien is ze overstuur. Wilt u me alstublieft helpen? Ik moet haar vinden!'
'Geen idee waar ze kan zijn?' zegt de politieagente. 'Bij de buren of bij een vriendinnetje?'
'Ik weet heel weinig van haar.'
De politieagente zucht.
'Kom maar even mee.'
Met kordate passen loopt ze voor hem uit, gaat een vertrek in en zet een computer aan.
'Naam en voornamen?'
'Rosenthal Sarah.'
'Heeft u een foto van haar? Dan stuur ik een fax rond.'

'Ik, ik heb geen foto bij me.'

'Telefoon?'

'Doet u maar... Nee natuurlijk, want ik ga haar zoeken, maar de zuster van haar moeder...'

Thomas onderbreekt zichzelf als hij de ongeduldige blik van de agente ziet.

Hij schrijft iets op.

'Op dit telefoonnummer is iemand thuis.'

'Vergeet u niet het ons te melden als ze terug is?'

Even is Thomas opgelucht als hij buiten staat, maar meteen beseft hij dat er nog niets is opgelost. Gedachten overspoelen hem. Waar is Sarah? Waar ging Paul met haar naar toe? Ze zou vast naar een bekende plek gaan. Of is ze misschien al terug?

'En?' vraagt hij, zodra de huisdeur opengaat.

Fie schudt haar hoofd.

'Monica en Karel zijn vertrokken', zegt ze. 'Ik heb aan de buren gevraagd of Sarah een vriendinnetje in de buurt heeft, maar die konden me niet veel verder helpen. Ze zagen haar alleen met Paul.'

'Waar kan ze toch in hemelsnaam zitten?'

'Als Paul zich goed voelde, ging hij wel eens met haar naar het strand.'

Thomas pakt zijn jas van de kapstok.

'Het is maar een idee', zegt Fie.

Voor de tweede keer knalt de huisdeur achter Thomas dicht. Hij start zijn auto en rijdt de gracht af. Hij gaat de brug over en volgt de borden richting kust.

Stapvoets rijdt hij langs de boulevard. Zijn ogen zoeken het strand en de lege terrassen af. Thomas parkeert de auto aan het einde van de boulevard en loopt het strand op. Hij ploetert door zandhopen en ontwijkt de kuilen die overdag zijn gegraven.

Even glimlacht hij bij een verlaten fort. Meeuwen cirkelen boven zijn hoofd en schreeuwen luidruchtig. Hun geroep klinkt hem onheilspellend in de oren. In de verte is een enkele wandelaar met een hond te zien. Het zeewater kruipt met veel geruis bij elke golfslag verder het strand op. Als Thomas de kop van de grote bunker ziet, denkt hij: Ik ga terug. Dit heeft geen zin. Zo ver gaat een kind niet in haar eentje.

'Ze hebben nog gebeld van het politiebureau', zegt Fie. 'Ze hadden meer informatie nodig. Wil je koffie?'

Zwijgend pakt Thomas de beker aan en gaat zitten.

'Waar kan zo'n kind toch zijn, Fie? Wat moeten we doen? We kunnen toch onmogelijk gaan slapen en doen alsof er niets aan de hand is!'

Fie drinkt haar beker leeg en staat op.

'Nu is het jouw beurt om hier te blijven', zegt ze. 'Ik ga een foto van Sarah op het politiebureau afgeven en nog wat rondrijden, je weet maar nooit.'

'Ik ga verder met het doorzoeken van de spullen', zegt Thomas. 'Hopelijk kom ik een adres tegen.'

Als Fie weg is, trekt hij een lade uit een kast en gaat aan tafel zitten.

Hij keert de lade om en maakt stapeltjes van foto's en papieren. Lege doosjes, elastiekjes, touwtjes, bierviltjes en kroonkurken gooit hij meteen in een vuilniszak. Een fotootje waarop een man en vrouw met de armen om elkaar heengeslagen staan, bekijkt hij langdurig en legt het dan apart.

Het is al diep in de nacht als Fie terugkomt. Thomas spitst zijn oren, maar hoort al snel dat Fie alleen is.

Ze komt bij hem zitten en pakt het fotootje dat apart ligt.

'Dat heb ik nog nooit gezien. Hij moet gemaakt zijn vlak voordat Liesbeth is overleden.'

Thomas knikt afwezig.

'Ik heb een ongelooflijke fout gemaakt!'

Fie kijkt hem aan.

'Ik vertelde je toch dat ik tot de bunkers ben gelopen?'
Ze knikt.
'Ik ben er niet ín gaan kijken.'
'Daar kun je toch niet in?'
'Paul en ik klommen vaak naar binnen. Een kind van Sarahs leeftijd is vindingrijk, hoor. Stom dat ik niet ben gaan kijken!'
Thomas springt op.
'Ik ga terug naar het strand, Fie, ik weet niets anders te bedenken. En hier in huis word ik stapelgek!'
Het eerste ochtendlicht begroet hem als hij de huisdeur opent.

Van hetzelfde ochtendlicht wordt Sarah wakker en ze rilt van de kilte in de bunker. Ze geeuwt en klimt op de brits.
Buiten hangt een grijzige waas. De zee heeft het strand schoongespoeld. De ribbels van de golven zijn duidelijk in het opgedroogde zand te zien.
Strandlopertjes rennen bedrijvig achter de terugrollende golven aan. Scholeksters zitten elkaar luid roepend achterna.
'Kliep-tepiet! Kliep-tepiet!'
Schel klinkt hun geluid.
Er is nog geen enkele wandelaar te zien.
Sarah pakt haar mondharmonica. Ze heeft zin in een boterham. Wat zal ze vandaag gaan doen? Zolang het mooi weer is, kan ze wel dagen op het strand blijven. Dat is heel wat leuker dan logeren bij oom Karel en die vreselijke tante Monica.
Ze grinnikt. Tante Fie is wel aardig, maar om er nou altijd te wonen?
De langgerekte tonen van haar mondharmonica echoën tegen de muren van de bunker.

Als de eerste zonnestralen hun best doen om de nevels te verdrijven, ziet Sarah in de verte iemand door het mulle zand sjokken.
Ze volgt de eenzame wandelaar met haar ogen. Als hij recht op de bunker afkomt, schrikt ze en volgt gespannen elke voetstap.

Op hetzelfde moment dat hij zijn handen aan zijn mond zet en haar naam schreeuwt, herkent ze hem.

Sarah klautert de bunker uit en zwaait heftig met beide armen. Snel is ze onder aan het duin en holt ze hem tegemoet.

Zodra Thomas haar ziet, begint hij ook te rennen. Hij omarmt haar en tilt haar op. Zijn wang wrijft langs de hare.

'Lieve god, wat ben ik blij!'

'Waarom huil je dan?' zegt Sarah.

'Ik ben zo blij dat ik je zie!'

'Echt waar?'

'Echt waar!'

'Vind jij kinderen dan wél lief?'

Thomas knikt.

'Zo lief dat ik bij jou mag wonen?'

Weer knikt hij.

'Voor altijd?'

'Voor altijd!'

5

Sarah staat naast Thomas in een ruime hal met zwart-witgeblokte marmeren tegels en kijkt een lange gang in.

'Het ruikt bij jullie heel anders dan bij ons', giechelt ze zenuwachtig.

Thomas zet haar bagage bij de kapstok. Hij praat druk.

'Ik zal je het hele huis laten zien, Saar! Wij zijn nu aan de straatkant binnengekomen op de bel-etage.' Hij zwaait een deur open. 'Hier is onze huiskamer.'

Sarah stapt naar binnen en kijkt nieuwsgierig om zich heen. Er hangen zware gordijnen van hetzelfde donkerrood als de stoelen die rondom een grote tafel staan. Ze loopt naar de open haard en kijkt in de spiegel die erboven hangt.

'Wat een grote woonkamer hebben jullie!'

'Het zijn er eigenlijk twee', zegt Thomas. 'En dan nog de serre. Kijk maar, hier zitten de schuifdeuren.'

Sarah gaat de serre in.

'Hier kun je van bovenaf in de tuin kijken, Thomas! Dat is leuk!'

Thomas opent een deur in de serre.

'En hier kun je met een trap naar de tuin en naar de achteringang.'

'Jullie wonen deftig! Wat is er nog meer op deze etage?'

'De slaapkamer van je grootvader en de keuken. Die laat ik je straks zien. We gaan eerst naar boven, je spullen uitpakken.'

'Moeten we niet eerst grootvader gedag zeggen? Ik wil wel eens weten hoe hij eruitziet. Hij is voor het laatst bij ons geweest toen ik nog klein was, vertelde papa.'

'Hij wordt niet graag gestoord als hij nog in zijn kamer is.'

Sarah loopt achter Thomas aan de trap op. Hij opent een deur.

'Dit is jouw kamer! De mijne is hiernaast.'

Er staat alleen een bed en een klerenkast in de kamer. Samen met Thomas pakt Sarah de meegebrachte tassen uit en legt haar spullen in de kast.

Plotseling staat ze doodstil. Iemand breekt in een daverende hoestbui uit met veel benauwd gepiep en lange uithalen. Het galmt in het trappenhuis.

'Je grootvader', zegt Thomas. 'Kom, we gaan naar hem toe.'

In een van de grote, rode stoelen zit een zware man met een brede snor. Hij heeft een deftig pak aan en een hoed op. Naast de stoel staat een wandelstok met een dikke knop. De man draait zijn hoofd naar hen toe.

Sarah ziet twee gitzwarte ogen op zich gericht en steekt haar hand uit.

'Dag grootvader.'

Het grote lijf in de stoel begint te piepen en te kreunen. Sarah hoort een stem die spottend zegt: 'Zo, madame. Wie heeft jou gezegd dat je mij grootvader mag noemen?'

'Je bent haar grootvader!' zegt Thomas.

Hij lijkt Thomas niet te horen en houdt de hand van Sarah vast. Ze moet steeds maar naar die zwarte ogen kijken.

'Ik heet Sarah.'

'Dat weten we dan ook weer.'

'Kom', zegt Thomas. 'Ik laat je de keuken zien en dan zetten wij meteen een pot thee.'

In de keuken vult Thomas een ketel water, spoelt de theepot om en pakt een koekjestrommel. Hij praat almaar over wat ze vandaag nog zullen doen en loopt onnodig heen en weer.

'We gaan samen de kortste weg naar jouw nieuwe school uitproberen.'

Zijn handen trillen licht als hij bekers op het dienblad zet.

'Grootvader wil helemaal niet dat ik hier kom wonen!'

Thomas trekt een verbaasd gezicht.

'Hoezo, schat?'

'Ik ben niet achterlijk!'

Na enkele dagen valt het Sarah op dat grootvader en Thomas zelden rechtstreeks met elkaar praten. Het lijkt eerst toeval te zijn, maar al snel heeft ze in de gaten dat bij grootvader in huis andere regels gelden. Hij en Thomas schrijven briefjes naar elkaar of praten via haar.

'Sarah, vraag eens of het goed is als we over een half uur eten.'

'Grootvader, Thomas vraagt of het goed is als we over een half uur eten?'

De oogleden sluiten zich één moment over de zwarte ogen.

'Thomas, hij vindt het goed.'

Sarah vindt het niet raar. Er zijn zoveel dingen anders in het huis van grootvader. Misschien houden ze niet van praten, en schrijven ze daarom briefjes. Hoewel, Thomas praat altijd; druk, met veel gebaren en grappen.

Op de etage waar haar slaapkamer is, voelt Sarah zich snel thuis. Buiten dat Thomas er slaapt, heeft hij er ook nog een werkkamer met een bureau waarop een computer staat. Langs de wand is een kast met een muziekinstallatie en een heleboel cd's.

Thomas maakt planken in Sarahs kamer voor al haar knuffeldieren en haar verzameling schelpen. Ook neemt Thomas haar mee naar het souterrain. Dat staat vol met meubelen en schilderijen.

'Voor de verkoop', legt hij uit. 'Kijk maar of je iets ziet voor in jouw kamer.'

Sarah wijst op een ladekastje.

'Dat lijkt me leuk naast mijn bed. Dan leg ik mijn stekelschelp erop.'

Als Thomas het kastje haar kamer binnendraagt, haalt ze het onafgemaakte mannenportret te voorschijn. Ze houdt het met gestrekte armen voor zich en bekijkt het aandachtig. Even trillen haar lippen.

'Wil je dit boven het kastje hangen?'

Thomas kijkt er lang naar.

'Was Paul hier de laatste tijd mee bezig?'

'Ja. Ik denk dat het een zelfportret moest worden.'
'Hmmm', zegt Thomas.
'Het lijkt ook op jou, dat zie ik heus wel!'
'Het is vader', zegt Thomas zacht.

De mondharmonica ligt in de bovenste lade van het kastje. Sarah speelt er alleen op in haar slaapkamer en buiten in de tuin. De eerste keer dat ze er in de huiskamer op speelde, riep grootvader: 'Zou je dat jankgeluid willen beperken tot je eigen kamer?'
Ze had niets gezegd en was hem net zo lang blijven aankijken totdat hij een krant pakte.

En dan is er nog die trap naar de zolderetage. Sarah is hem wel opgelopen, maar stuitte op een deur die op slot was.
'Thomas, mag ik boven kijken?'
Ze staat naast zijn bureau.
Hij aarzelt, schuift zijn stoel achteruit en trekt haar tegen zich aan.
'We komen haast nooit boven.'
'Waarom niet?'
Thomas zwijgt even.
'Boven was de plek van moeder. Nadat zij is overleden, heeft je grootvader het boven afgesloten. Alleen mevrouw Bloem komt er af en toe om te stofzuigen.'

Bij de achteringang in de tuin is een garage. Daar staat ook de vuurrode motor van Thomas.
Sarah klimt op de buddyseat.
'Hoe vind je 'm, Saar?'
Ze buigt zich voorover en pakt het stuur.
'Vroem, vroemvroem, vroemvroemvroem!'
'Wegpiraat!'
'Mag ik er een keertje echt op rijden met jou?'
'Tuurlijk!'

De weg naar school weet Sarah alleen te vinden, maar ze vindt het heel leuk als Thomas haar afhaalt. Hij is veel weg. 'Voor zaken', zegt hij. Dan is het akelig stil in huis en zit ze het liefst in haar slaapkamer. Ze moet dan wel eens huilen zonder dat ze weet waarom.

In de kamer van grootvader is ze nog niet geweest. Thomas heeft die overgeslagen toen hij haar het huis liet zien.

Sarah voelt, zonder dat het haar is gezegd, dat niemand daar zomaar naar binnen gaat.

6

Grootvader zit meestal te lezen en zegt zelden iets. Alleen als hij opstaat of zich beweegt maakt hij veel geluid. Sarah schrikt nog steeds van zijn onverwachte hoestbuien met de benauwde uithalen.

Zodra Thomas er is, lijkt alles in huis vrolijker te worden. Hij zet de radio aan die grootvader altijd onmiddellijk na het nieuws uitzet. Thomas zet thee, brengt lekkere koekjes mee en maakt op zijn eigen, lawaaierige manier het avondeten klaar als mevrouw Bloem niet is geweest.

Vanmiddag duurt het wel heel lang voordat hij thuiskomt. Sarah pakt een boek en gaat in de huiskamer tegenover grootvader zitten.

Na een tijdje staat grootvader op en sloft zuchtend en kreunend naar de keuken. Even later hoort Sarah de fluitketel.

Als hij de theepot op tafel zet, zegt Sarah: 'Ik schenk wel in, goed, grootvader?'

Zijn blik is donker.

'Wil jij een kopje thee, madame?'

Er komt kleurloos water uit de tuit.

Sarah springt op.

'Je bent de thee vergeten! Ik pak de theebus wel even uit de keuken.'

'Blijf zitten!'

'Zo is het toch niet te drinken? Getver!'

Grootvader pakt zijn theekopje op.

'Zo denk ik er voortaan aan om thee in de pot te doen, en voor jou kan het ook geen kwaad.'

Sarah heeft hem nog nooit zoveel woorden achter elkaar horen zeggen. Ze neemt voorzichtig een slokje van het hete water.

De glinsterende zwarte ogen kijken haar aan. Secondenlang staren ze in elkaars ogen totdat een hoestbui van grootvader de betovering doorbreekt.

'Mijn vader lustte alleen sterke thee. "Ik drink geen uilenpies", zei hij altijd.'

'Zo, zei hij dat!'

Grootvader vouwt een krant open.

'Waarom kwam je nooit bij ons?'

'Daar had ik zo mijn redenen voor.'

'Hadden jullie ruzie?'

Grootvader antwoordt niet.

'Waarom kwam je niet toen hij doodging?'

'Ik zou graag mijn krant willen lezen. Kan dat, madame?'

Zijn gezicht verdwijnt achter de krant.

Sarah steekt haar tong naar hem uit.

De klok aan de muur tikt nadrukkelijk. Af en toe ritselt de krant in grootvaders handen.

Eindelijk hoort ze de vlugge voetstappen van Thomas in de hal. Luidruchtig komt hij binnen.

'Wat was je lang weg!'

Hij geeft haar een zoen.

'Ik heb het druk.'

'Wat ben jij eigenlijk, Thomas?'

'Hoe bedoel je?'

'Mijn vader was kunstschilder, maar ik weet niet hoe het heet wat jij bent.'

'Je weet toch dat ik naar veilingen ga? Ik koop en verkoop wat me geschikt lijkt. Dat kan van alles en nog wat zijn.'

Grootvader kucht rumoerig.

Thomas blikt even zijn kant uit, maar grootvaders gezicht blijft achter de krant verborgen.

Sarah voelt een vreemde spanning in de kamer hangen. Ze kijkt van grootvader naar Thomas. Die knipoogt bemoedigend naar haar.

'Op dit moment lever ik muziekinstallaties en alles wat daarbij hoort aan discotheken en scholen.'

Grootvader moet erg hoesten, het klinkt alsof hij het expres doet.

Thomas loopt zonder iets te zeggen met grote passen de kamer uit. Sarah holt achter hem aan.

'Madame!'

Met de deurkruk in haar hand staat ze stil.

'Hol nooit achter iemand aan!'

Eén ogenblik weifelt ze. Dan schreeuwt ze: 'Ik heet Sarah als je het nog niet weet!'

De kamerdeur slaat achter haar dicht. Ze gaat de trap op naar de kamer van Thomas.

'Ik snap soms niet wat grootvader bedoelt.'

Thomas legt een vinger op zijn lippen.

'Ssst, ik heb een nieuwe cd!'

Hij zit in een lage stoel en steekt een arm uit. Sarah glijdt op zijn knieën. De armen van Thomas sluiten zich om haar heen.

Hij wiegt haar heen en weer en neuriet met de muziek mee.

'Er zingt niemand, dat vind ik niet leuk.'

'Toch wordt er een heel mooi verhaal verteld.'

'Waarover dan?'

'Over dromen. En over liefde.'

'Zoals een jongen en een meisje die op elkaar zijn?'

'Of twee jongens die van elkaar houden.'

Sarah wrijft haar wang tegen zijn gezicht.

'Ooof...', zegt ze langgerekt. 'Of, zoals een vader en een kind?'

'Ook. Hé, huil je nou, schat?'

'Helemaal niet', snuft ze.

Thomas geeft haar een zoen boven op haar hoofd.

'Ik zal de cd opnieuw aanzetten, het begin is zo mooi', zegt hij schor.

Thomas brengt vaak nieuwe cd's mee. Ook met liedjes die Sarah van de televisie kent. Luidkeels zingen ze samen mee. Thomas heeft in zijn slaapkamer een televisie aan het plafond hangen.

Daar bekijkt Sarah meestal de programma's die zij leuk vindt. Ze installeert zich dan boven op zijn bed met zakjes chips die Thomas voor haar koopt.

Grootvader zet de televisie in de huiskamer alleen aan voor het journaal en voor sportuitzendingen.

'Thomas, houdt grootvader niet van muziek?'

'Tuurlijk wel, schat! Iedereen houdt toch van muziek?'

Die avond ziet Sarah dat grootvader een briefje onder de kamerdeur van Thomas schuift. Als hij weer beneden is, komt ze geruisloos haar kamer uit en opent de deur van Thomas' kamer. Ze raapt het dubbelgevouwen papiertje op en leest:

Weet dat ik je geen minuut uit het oog verlies!

Sarah leest de zin een paar keer over en fronst haar wenkbrauwen.

7

Als Sarah op een dag uit school komt, is er bezoek. Ze hoort grootvader kortaf antwoorden.

Nieuwsgierig opent ze de huiskamerdeur en ziet een vrouw zitten met ouderwetse kleren aan en een hoedje op.

'Daaag', zegt Sarah.

'Zo, ben je er?' zegt grootvader.

'Is ze dat?' zegt de vrouw.

Ze bekijkt Sarah van top tot teen.

Spook! denkt Sarah.

'Zeg jij maar tante Trudie tegen mij.'

'Hmmm', doet Sarah.

'Hoe oud ben jij?'

'Bijna elf', zegt Sarah. De woorden komen onwillig uit haar mond.

'Dan kan jij vast een mooi gedicht voor ons opzeggen.'

Sarah schudt haar hoofd.

Ze voelt dat grootvaders ogen op haar gericht zijn.

'Een klein gedichtje toch wel?' zegt Trudie.

Sarah geeft geen antwoord meer en kijkt de vrouw onbeweeglijk aan.

'Ik ben boven, grootvader.'

Ze blijft in de gang staan en luistert met haar hoofd tegen de deur. Ze hoort de vrouw zeggen: 'Wat kan dat kind vuil kijken. Dat zal je weten dat je die in huis hebt gehaald!'

'Vroeg ik jou iets', snauwt grootvader.

Sarah steekt haar tong uit naar de gesloten deur en loopt naar de keuken.

Thomas staat bij het aanrecht en draait zijn hoofd om. Zijn ogen lachen samenzweerderig.

'Hoor ik tante Trudie?'

'Wie is dat? Ik vind het een eng wijf. "Zeg jij maar tante Trudie

tegen mij", zei ze. Is ze een tante van mij?'
Thomas lacht.
'Niks hoor! Ze is een tante van míj. En ik vind het ook een eng
wijf.'
'En grootvader? Vindt hij haar ook eng?'
Thomas aarzelt.
'Ik zou het niet weten.'
Meteen lacht hij weer.
'Help je me gehaktballen te maken?'
Boven een kom met rauw gehakt breekt Thomas de eieren.
'Doe jij de beschuiten?'
Sarah opent de beschuitbus, pakt er twee beschuiten uit en
wrijft die boven de kom tegen elkaar. Een fijn poeder dwarrelt
over de eieren. Thomas mengt met een vork alles door elkaar. Sa-
rah pakt nieuwe beschuiten.
'Heb jij al een nieuwe limerick verzonnen?' vraagt hij.
'Ja.'
Sarah wrijft door en zingt:

Er was eens een baby in Rome
Die speelde biljart met zijn ome
Maar toen riep de guit
Ik schei er mee uit
Ik speel niet meer met zo'n slome

Verwachtingsvol kijkt ze Thomas aan.
'Weet jij er ook één?'
Hij lacht geheimzinnig.
'Een vieze?'
'Ja, een hele vieze!

Er was eens een juffrouw in Zaltbommel
Die bewaarde haar poep in een trommel
Ze had al misschien

34

Een kilo of tien
O jongens wat gaf dat een rommel

'Dat is een leuke!' lacht Sarah.

'Nog twee beschuiten', zegt Thomas.

Hij kneedt de massa nu met beide handen.

'Tien kilo?' giechelt Sarah. 'Dat is de beschuitbus vol.'

'O nee, veel meer.'

'De broodtrommel vol?'

'Minstens.'

'Als die juffrouw zoveel poep heeft bewaard, kunnen wij aan haar vragen...'

'... mogen wij een emmertje poep van je?' vult Thomas aan.

Sarah moet hevig lachen.

'Ja! Enne... dan doen wij dat emmertje poep...'

'... in het hoedje van tante Trudie', fluistert Thomas.

'Ja!' juicht ze. 'En dan...'

'... trekken wij de rand van haar hoedje stevig over haar oren!'

Sarah krijgt de slappe lach.

'Kom', zegt Thomas. 'De gehaktballen moeten een kwartiertje rusten voordat ze de pan in gaan. Ga jij alvast naar de huiskamer? Ik was mijn handen en kom zo.'

Nog nagiechelend gaat Sarah de kamer in.

Tante Trudie perst afkeurend haar lippen op elkaar.

'Je hoeft niet te vragen bij wie ze is geweest', zegt ze. 'Thomas heeft zo'n slechte invloed op kinderen. Moet je dat gezicht zien; de ondeugendheid straalt uit haar ogen.'

'Mens, bemoei je met je eigen zaken!' gromt grootvader.

Sarah glimlacht lief naar grootvader en gaat met een braaf gezicht op een stoel zitten. Ze probeert haar lachbui in te houden.

Even later komt Thomas binnen. Hij loopt langs de stoel van tante Trudie en maakt een vaag gebaar met zijn handen.

Sarah moet lachen. Ze ziet duidelijk dat hij de rand van haar hoedje over haar oren trekt.

Thomas zingt *Er was eens een juffrouw in Zaltbommel...*
Sarah proest het uit en holt naar boven.
Ze pakt haar mondharmonica en probeert de melodie van de
limerick te spelen.

Als ze de motor van Thomas hoort ronken, staat ze meteen voor
het raam. Hij zwaait naar haar. Het volgende moment is hij met
veel getoeter verdwenen.
Ze oefent verder. De eerste regel lukt al aardig. *Er was eens een
juffrouw in Zaltbommel...* klinkt het keer op keer.
Als ze de vrouw hoort weggaan, is ze binnen enkele tellen be-
neden. Grootvader staat bij de open haard.
'Hou jij van gedichten, grootvader? Ik ken er een heleboel uit
mijn hoofd! Zal ik *Hendrik Haan* doen?'
Grootvaders zware wenkbrauwen vormen één dikke streep.
'Madame!'
Hij stampt met zijn stok op de vloer.
Zonder nog een woord te zeggen, gaat hij zitten.
Sarah lacht vrolijk naar hem.
'Het gaat over roddelen. Goed?'
Ze wacht geen antwoord af en begint:

Dag, mevrouw Van Voort,
hebt u 't al gehoord?
Hendrik Haan
uit Koog aan de Zaan
heeft de kraan open laten staan.
Uren, uren stond ie open.
Heel de keuken ondergelopen.
Denkt u toch es even!
En 't zeil was net gewreven.
Tss, tss, tss.

Het is een lang gedicht. Na mevrouw Van Voort komen er andere dames aan de beurt aan wie het nieuwtje doorverteld moet worden en waardoor de ramp groeit.

Grootvader zit kaarsrecht in zijn stoel. Als het gedicht uit is, zegt hij: 'Dat was het, madame?'

8

Thomas en de keuken zijn onverbrekelijk met elkaar verbonden. Het is de plek waar Sarah hem het eerst zoekt.

'Thomas, heb ik een rare stem?'

'Hoezo?'

'"Waar zit dat bromstemmetje", zei de meester tijdens het zingen en toen bleef hij bij mijn tafel staan.'

'Ik zal je straks een cd laten horen van een zangeres met een heel mooie stem. Toen zij een klein meisje was, zeiden er ook mensen dat ze een bromstem had. Ze had juist een aparte stem, maar...'

Thomas aarzelt voordat hij verder vertelt.

'... als je anders bent dan andere mensen, vinden mensen dat vaak raar. En soms worden ze bang van je, of jaloers, of ze krijgen een hekel aan je.'

'Ik wil zangeres worden.'

'Dan kom ik naar je luisteren.'

'Ik blijf ook danseres, hoor. Dat doe ik heel mooi door elkaar.'

'Doe eens voor hoe dat gaat.'

Sarah kijkt om zich heen.

'Ik heb sjaals nodig.'

'Gaat het ook met theedoeken?'

Meteen pakt hij er een paar uit de kast.

'En ik heb meer ruimte nodig.'

Thomas zet de stoelen omgekeerd op de keukentafel en gaat op het aanrecht zitten.

'Wat denk je er zo van?'

'Goed! Nu moet je denken dat ik een rode, glanzende jurk aan heb met een wijde rok. En hij is van achteren zo lang dat hij over de vloer sleept.'

Thomas knijpt zijn ogen tot spleetjes.

'Dat is mooi', zegt hij.

Sarah zweeft over de tegelvloer. Wuivend met de theedoeken danst ze op haar tenen, knielt en draait pirouettes. Ze zingt er een zelfbedacht lied bij. Aan het eind van het lied maakt ze een diepe buiging en sleept de theedoeken over de vloer.

Thomas klapt in zijn handen en roept: 'Bravo! Bravo!'

'Daar zijn theedoeken niet voor gemaakt!'

Grootvader staat in de deuropening.

Sarah kijkt hem geschrokken aan.

Thomas springt van het aanrecht.

'We kloppen ze wel uit.'

Hij opent de deur naar de tuin en slaat de doeken uit.

Grootvader draait zich om en loopt de gang in. Zijn stok tikt driftig op de marmeren tegels.

Thomas knipoogt naar Sarah, maar ze durft niet te lachen.

Er was eens een juffrouw in Zaltbommel... fluit hij.

Nu móet ze wel lachen.

Grootvader leest elke dag. Hij leest kranten, tijdschriften en hij haalt wel zes boeken per week uit de bibliotheek. Hij vindt kennis belangrijk. Dat komt omdat hij zelf maar heel kort naar school is geweest. Toen grootvader veertien jaar was, moest hij al gaan werken, vertelde Thomas.

Grootvader leest graag boeken die over zonnestelsels, geschiedenis en verre landen gaan.

Sarah zit meestal bij hem als mevrouw Bloem de slaapkamers aan het schoonmaken is. Ze zitten uren samen te lezen zonder een woord te zeggen.

Deze keer duurt de stilte Sarah te lang. Ze gluurt over de rand van haar boek naar grootvader.

Hij zit rechtop in zijn stoel met zijn hoed op. Zijn ogen zijn strak op zijn boek gericht en zijn stok staat tegen de tafel. De haren van zijn brede snor zijn kaarsrecht afgeknipt op de rand van zijn bovenlip.

Sarah glipt van haar stoel en gaat bij hem staan. Ze kijkt naar de handen die het boek vasthouden. In de driehoek van zijn rechterduim en wijsvinger is een donkerblauwe stip getatoeëerd. Sarah raakt de plek heel even met een vinger aan.

'Wat een enge vlek! Hoe kom je daaraan?'

Zijn ogen laten het boek niet los.

'Er zijn wel engere dingen op de wereld.'

'Wat bedoel je?'

Hij zwijgt. Het is duidelijk dat hij het bij die opmerking wil laten.

'Zal ik een liedje voor je zingen?'

Grootvader zucht.

'Vind jij soms ook dat ik een bromstem heb?'

Het is zo stil dat ze de klok hoort tikken.

'Of vind je een toneelstuk leuker?'

Grootvader klapt het boek dicht.

Sarah lacht naar hem. Ze verschuift een paar stoelen en wijst: 'Je moet daar gaan zitten, want nu is hier het toneel.'

Grootvader komt langzaam overeind en gaat zwijgend in de aangewezen stoel zitten.

'Ik heb een toneelstuk verzonnen over twee meneren. Eigenlijk is het geen toneelstuk maar mime, want ik praat er haast niet bij. De ene meneer heet Lachman en de ander heet Stilman. Ik begin als meneer Stilman die...'

Sarah onderbreekt zichzelf.

'Ik heb je stok nodig.'

Hun ogen laten elkaar geen moment los als ze naar zijn stoel loopt en zijn stok beetpakt.

Sarah aarzelt, ze wil zijn hoed er ook bij.

'Heb het hart eens in je lijf', dreigen zijn ogen.

'En je hoed.'

Grootvader zit roerloos. Sarahs ogen zijn onafgebroken op zijn gezicht gericht. Met twee handen tilt ze de hoed van zijn hoofd.

Sarah loopt moeizaam heen en weer en hoest en rochelt opvallend veel. Voor de open haard staat ze stil. Op haar voorhoofd tovert ze een dikke rimpel als ze in de vlammen staart. Daarna gaat ze zuchtend en kreunend in een stoel zitten en pakt een krant van de tafel. Af en toe maakt ze bromgeluiden die ze weer afwisselt met hoesten. Met een zwierig gebaar legt ze de hoed en de stok op een stoel en zet de krant er als een tent overheen.

Grootvader moet hoesten en heel even klinkt het als lachen, maar als Sarah zijn richting uitkijkt, zit hij net zo streng te kijken als altijd.

Nu loopt Sarah kwiek; ze fluit, neuriet, zet de radio hard aan en maakt gebaren alsof ze thee schenkt. Ze lacht vriendelijk en wuift naar denkbeeldige mensen buiten, maakt danspasjes, loopt naar de gang en komt weer binnen.

Ze loopt naar de stoel waar de hoed en stok onder de krant verborgen liggen. Ze schuift de krant weg en schudt als de vrolijke meneer Lachman de denkbeeldige hand van meneer Stilman.

Even staat ze doodstil.

Dan zet ze de hoed weer op. Met de stok in de hand herneemt ze het heen en weer geloop door de beide vertrekken met veel binnensmonds gemopper en hmmm-geluiden.

Als ze bij de stoel komt waar grootvader zit, maakt ze een diepe buiging. Ze zet de hoed voorzichtig terug op zijn hoofd en de stok tegen de tafel.

Grootvader tilt zijn hoed heel even op, als groet.

'Mag ik nu weer verder lezen?' vraagt hij.

Op een keer als ze samen zitten te lezen, staat grootvader op en haalt uit de wandkast een boek te voorschijn.

'Voor jou, omdat je zo graag leest!'

Sarah voelt haar wangen warm en rood worden.

'Bedoel je voor mij om te lezen of om te houden?'

'Lezen en houden.'

Sarahs hart bonst hevig. Ze heeft niet veel eigen boeken en leent ze meestal uit de bibliotheek. Het lijkt haar leuk om een boek mee naar school te nemen en te kunnen zeggen dat ze het van haar grootvader heeft gekregen.

Aarzelend pakt Sarah het boek aan. Ze weet niets te zeggen.

Grootvader staat nog steeds voor haar.

'Geef het nog eens even terug.'

Grootvader bladert het boek door tot de laatste bladzijden. Met een ruk trekt hij er een aantal uit en geeft het boek weer aan Sarah. Hij verscheurt de bladzijden tot snippers die hij in de open haard gooit. Daarna gaat hij zwaar ademend in zijn stoel zitten.

Sarahs hart staat een paar tellen stil. Ze voelt woede in zich opkomen.

'Gemenerd! Waarom maak je het kapot?'

'Jij bent slim genoeg om zelf een spannend slot te verzinnen.'

Het klinkt als een compliment.

'Nou weet ik toch niet of het aan het eind goed afloopt!'

'Een mens weet nooit hoe iets afloopt.'

Grootvader slaat een krant open.

Sarah smijt het boek op tafel en verdwijnt naar boven.

9

Sarah werpt een ongeduldige blik op haar horloge. Eindelijk rinkelt de bel door het schoolgebouw.

'Sarah, ga je met mij mee naar huis?' roept een meisje.

'Thomas komt me halen.'

Sarah rent de speelplaats over en vliegt Thomas om zijn hals. Ze snuift de geur van zijn aftershave op.

'Ik moest er de hele ochtend aan denken dat jij me kwam halen!'

Thomas probeert streng te kijken en zegt met een bestraffende stem: 'Dat mag helemaal niet! Jij moet op school aan moeilijke sommen denken!'

Sarah lacht.

'Wat is nou de verrassing, Thomas?'

'Dat wij voorlopig niet naar huis gaan! Wij gaan naar het bos en wandelen er dwars doorheen. Bij de poffertjestent trakteer ik op poffertjes of pannenkoeken.'

'Of op allebei?'

'Ook goed.'

Het is een prachtige herfstdag. Winterkoninkjes schetteren luidkeels en pimpelmezen vliegen van struik tot struik met hen mee. De aarde geurt sterk door de regen van de voorgaande dagen. Thomas ademt diep in en uit.

'Heerlijk hè, Saar? Dode bladeren zijn prachtig van kleur! Vind je niet?'

Sarah knikt afwezig.

'Thomas, denk jij dat je voor altijd dood bent als je doodgaat?'

'Hoe kom je daar nu weer bij?'

'Daar hadden wij het op school over. De meesten zeggen: "dood is dood", maar sommigen denken weer van niet.'

'Wat denk jij?'

'Ik weet hoe het is als je doodgaat. Je binnenste stukje verhuist gewoon, en je wordt weer levend als iets anders.'

'Dat vind ik een mooie gedachte, Saar.'

'Ik weet zeker dat ik eerst een grote vogel ben geweest; een reiger! Ik droom nog zo vaak dat ik vlieg. En ik weet precies wat je moet doen als je wilt landen; poten recht naar beneden en je vleugels zo wijd mogelijk spreiden. En dan met je lijf rechtopstaand gaan vliegen en een beetje heen en weer bewegen met je vleugels. Dan zak je heel mooi tot op de grond en dan hol je nog een paar stapjes mee totdat je stilstaat. Heb je dat weleens gezien?'

Thomas knikt.

'En als ik de volgende keer doodga, kies ik weer dat ik een vogel mag zijn.'

'Mag je kiezen?'

Sarah knikt overtuigd, maar moet er wel bij grinniken.

'Moet je horen, Thomas! Ik ben dood en jij zit in de tuin koffie te drinken met speculaas. En dan ben ik een meesje geworden en dan kom ik steeds kruimeltjes bij je wegpikken.'

'Dat is lief van je.'

'Ik blijf niet lief! Als jij languit gaat liggen om te zonnen, pik ik telkens in je neus of blijf ik om je hoofd vliegen.'

'Haha! Dan geef ik je een mep met een krant!'

Sarah lacht mee. Dan wordt ze stil.

'Zou jij voelen dat ik het was?'

Thomas slaat een arm om haar schouders en drukt haar even tegen zich aan.

'Tuurlijk.'

'Wat zou jij willen worden, Thomas? Een schildpad? Dan word je heel oud!'

'Vreselijk, Saar! Ik moet er niet aan denken.'

'Wat bedoel je? Oud worden of een schildpad worden?'

'Allebei.'

'Wat wil je dan?'

'Mij lijkt vliegen ook heerlijk. Weet je, Saar, ik ben als kleine jongen eens naar het strand gegaan toen het hard stormde. Ik had een paraplu meegenomen en dacht dat ik zou kunnen opstijgen. Ik heb heel veel en hard gehold, maar niet gevlogen. Ik wil wel terugkomen als...'

Thomas denkt na.

'... als een vlinder?' oppert Sarah.

'Dat lijkt me geen gek idee.'

'Dan vang ik je en stop ik je in een doosje. En af en toe geef ik je een blaadje sla en laat ik je in de tuin vliegen. En ik neem je mee naar school. Kun je zelf horen hoe stom onze meester af en toe doet.'

'Hmmm?'

'We hadden het in het klassengesprek over doodgaan, en waar je blijft als je dood bent. En of je wel of niet zou veranderen. En toen zei hij dat dieren en bomen niet kunnen praten!'

'Die meester van jou moet nog leren luisteren', zegt Thomas.

10

Thomas is druk bezig in het souterrain. Waar eerst kasten, tafels, stoelen en andere meubelen stonden, staat nu van alles wat te maken heeft met muziek en geluid. Er zijn microfoons, versterkers, lichtinstallaties en een synthesizer. En sinds vandaag staat er ook een drumstel, en zelfs een ouderwetse jukebox.
Sarah volgt alles op de voet.
'Verkoop je geen tafels en stoelen meer?'
Thomas lacht en laat haar een kaartje zien. Hardop leest Sarah voor:

Thoros verzorgt alle school- en verenigingsfeesten.
Verhuur van versterkers, microfoons, luidsprekers, cd's enz.
Compleet met dj's en lasershow!

'Thoros', giert ze. 'Het lijkt wel een stierenvechtersnaam.'
'Hè nee, Saar! Het is...'
'Makkelijk zat', lacht ze. 'Thomas Rosenthal in elkaar gekrompen. Als ik later beroemd word, noem ik mezelf Sarose.'
'Haha, Sarose!' lacht Thomas. 'Sarah Rosenthal in elkaar gekrompen. Zeg, in elkaar gekrompen beroemdheid, ga je mee naar de keuken?'
'Wat eten we?'
'Mevrouw Bloem heeft erwtensoep gemaakt en daar moet nog roggebrood bij.'

Thomas smeert de sneden brood en Sarah legt ze op bordjes.
'Er is er gauw eentje jarig, hoera, hoera! Dat kun je wel zien, dat is zij!' zingt Thomas.
Sarah lacht verlegen.
Hij maakt een buiging voor haar.
'En hoe wilt u dat vieren, prinses?'

'Weet ik niet! Ik was altijd alleen met papa.'

'In het souterrain zouden wij nu een perfect feest kunnen geven voor jouw vrienden en vriendinnen.'

'Een echt feest met muziek en dansen en slingers en ballonnen?'

'Bijvoorbeeld.'

'Dat zou ik tof vinden!'

'Ga jij maar eens heel snel bedenken wie je wilt uitnodigen.'

'Ik heb nog niet veel vriendinnen op deze school. Ik praat meestal met de jongens. Nee, eigenlijk alleen met Ben, een jongen die een jaartje hoger zit. De meeste meisjes van mijn groep vind ik stom.'

'Hmmm?'

'Ze praten altijd over wie er al borsten heeft en ze vragen of je al hebt getongd.'

'Getongd?'

'Dat is zoenen met een jongen!'

Als Sarah in de hal grootvader tegenkomt roept ze: 'Mijn verjaardagsfeest wordt fantastisch, dat zal je zien!'

Grootvader trekt zijn zwarte wenkbrauwen op.

'Ik geef een groot feest in het souterrain!'

'Had dat niet eerst aan mij gevraagd moeten worden?'

Sarah schrikt.

'Mag het niet van jou?'

'Even vragen was wel zo netjes geweest.'

'Thomas zei...'

'Thomas? Dat had ik kunnen weten.'

'Hij haalt de boodschappen en regelt alles.'

Grootvader leunt op zijn stok.

'Ja, ja, dat is echt iets voor Thomas.'

Sarah signaleert een bepaalde klank in de stem van grootvader, maar denkt er niet lang over na. Grootvader zegt zo vaak iets op een eigenaardige toon of gebruikt woorden die ze niet goed begrijpt.

Sarah wordt wakker van een stem.

Happy birthday to you
Happy birthday to you
Happy birthday, dear Sarah
Happy birthday to you!

Meteen zit ze overeind in bed.
Thomas komt binnen met een langwerpig pak. Hij geeft haar een zoen en legt het pak op haar knieën.
'Daarin kan alleen een hengel zitten!' roept Sarah lachend.
'Bijna goed.'
Ze frunnikt aan de touwtjes en scheurt de verpakking eraf. Een felgekleurde hoes wordt zichtbaar. Ongeduldig maakt ze hem open en trekt een opgerold pakket eruit.
'Een vlieger?'
Ze rolt het pakket uit.
'Een vogelvlieger? Oh, Thomas, met een echt kopje en snavel en echte pootjes!'
Sarah glijdt uit bed en kijkt bewonderend naar de vlieger.
'Vind je hem mooi, schat?'
Ze knikt.
'Hoe wist je dat ik zo graag een vogelvlieger wilde hebben?'

In de huiskamer staat een vreemd pak op tafel. Sarah loopt er giechelend op af.
'Niet van mij hoor', zegt Thomas.
Op dat moment komt grootvader binnen. Hij tilt heel even zijn hoed van zijn hoofd.
'Gefeliciteerd met je geboortedag, madame.'
Hij gebaart naar het vreemde pak.
'Kijk maar of dat naar je zin is.'
'Ik zou niet weten wat er in zo'n rare bobbel kan zitten.'
Thomas geeft haar een schaar.

48

Zodra Sarah door het losgeknipte papier een stuk van het cadeau ziet, houdt ze op met uitpakken.

'Oohhh! Een wereldbol!'

Grootvader helpt haar met de rest van de verpakking. Er komt een kleurige globe te voorschijn met een snoer eraan.

'Voor op je kamer!' zegt grootvader.

Hij steekt de stekker in een stopcontact en knipt de schakelaar aan.

Een roze licht schijnt binnenin de bol.

Sarah strijkt met haar vingertoppen over het oppervlak.

'Heb je dat gezien? Hij is bobbelig waar er bergen zijn! Nu kan ik goed tochten bedenken voor als ik ontdekkingsreiziger word!'

Thomas moet hevig lachen.

'Ik blijf ook danseres en zangeres, maar als ik toch overal ter wereld moet optreden, kan ik best tegelijk ontdekkingsreiziger zijn.'

Sarah lacht verlegen naar grootvader. Ze weet niet goed hoe ze hem moet bedanken en twijfelt of ze hem een zoen zal geven.

'Ik ben heel blij met jullie cadeaus', zegt ze.

Omdat het zaterdag is, hoeft Sarah niet naar school. Ze mag niet in het souterrain komen voordat het avond is, heeft Thomas gezegd. Hij is daar met mevrouw Bloem. Af en toe hoort Sarah hen lachen en klinkt er een flard muziek.

Tante Fie heeft een briefje gestuurd met een cadeaubon en ook nog opgebeld.

Ongeduldig werkt Sarah haar avondeten naar binnen.

Thomas werpt een blik op zijn horloge.

'Vanaf... nú mag je beneden kijken!'

Sarah en Thomas rennen achter elkaar de trappen af naar het souterrain. Grootvader blijft aan tafel zitten.

'Tatatataaa!' roept Thomas.

Hij zwaait de deur open. Verrast kijkt Sarah naar binnen. Langs de wanden hangen kleurige lampjes afgewisseld met trossen ballonnen. Overal staan tafeltjes met krukken en er is een versierde tafel met hapjes. Aan één kant heeft Thomas een verhoging gemaakt als een podium. Aan de zijkant van het podium staat een muziekinstallatie en liggen er stapels cd's.

Thomas zet schaaltjes met pinda's en chips op de tafeltjes.

'Lijkt het je wat?' vraagt hij.

Sarah lacht.

'Ik weet niks te zeggen, zo mooi vind ik het.'

Thomas stapt op het podium en pakt een microfoon.

'Mag ik even jullie aandacht voor de dj van vanavond?'

'Wat tof, Thomas!'

'Let eens op het plafond, Saar!'

Aan een haak hangt een glanzende bol met facetten die begint te draaien. Thomas richt er gekleurde spotjes op. Een spetterend lichten vonkenspel weerkaatst tegen het plafond en op de wanden.

'Zo mooi heb ik het zelfs nog nooit op schoolfeesten gezien!'

'Let op, Saar, ik zet nu ook een ritmebox aan!'

Het licht- en vonkengespetter dooft en vlamt op het ritme van de muziek.

Even later zet Thomas alles uit zodat alleen de wandverlichting brandt.

Sarah vliegt hem om zijn hals.

'Het wordt een superfeest!' roept ze.

Sarahs klasgenoten schuifelen rumoerig het souterrain binnen. Er wordt geroepen en gelachen. Thomas zit bij de muziekinstallatie en nodigt iedereen uit die dj wil zijn.

Ben is de eerste. Met een stem nagebootst van een popzender kondigt hij met veel bombarie liedjes aan. Thomas staat achter de bar en schenkt cola en limonade in.

Sarah ziet overal lachende gezichten en er is veel oh- en ah-geroep als Thomas het lichteffect aanzet.

Als Sarah met Ben danst, ziet ze grootvader in de deuropening staan.

Later op de avond ijsbeert hij door de gang. Sarah glipt even naar hem toe.

'Kom je niet binnen?'

'Ik wil niet dover worden dan ik al ben!'

'Waarom loop je hier dan?'

'Kijken of jij het naar je zin hebt.'

'Ik weet nu al dat dit het mooiste feest is van mijn hele leven', zegt ze.

Die nacht droomt Sarah over een heerlijk feest met wel honderd vrienden en vriendinnen, en met muziek en lichteffecten. Iedereen is vrolijk en danst uitbundig.

Buiten voor de ramen drentelt een leeuw heen en weer die een pet van een politieagent op heeft. Ze moet erom lachen, een leeuw met een pet op! Ze lacht zo hard dat de leeuw haar hoort en zijn kop naar haar toe draait. Hij heeft het gezicht van grootvader; zwarte ogen, zwarte wenkbrauwen en een dikke, zwarte snor.

11

'Madame.'

Grootvader staat op de drempel van zijn slaapkamer en maakt een uitnodigend gebaar. Nieuwsgierig stapt Sarah naar binnen. Geen vrolijke boel, denkt ze. Er staat niet veel in. Een bed, een kast en een ouderwets bureau. Aan de muur hangt een groot portret van een vrouw. Sarah blijft voor het schilderij staan.

'Wie is dat?'

'Jouw grootmoeder!'

'Hé, dat heeft papa gemaakt!' zegt ze verrast. 'Hij signeerde met zo'n P en een R door elkaar.'

'Ik wil het over iets anders hebben.'

Grootvader pakt een brief van zijn bureau.

'Weet je niet dat mijn vader dat heeft gemaakt?'

'Jawel.' Hij kucht. 'Ik heb een brief gekregen van je oom Karel en je tante Monica. Ze vragen of je in de kerstvakantie bij hen komt logeren.'

'Daar wil ik helemaal niet heen!'

'Madame!'

'Ik ga niet! Het zijn rotmensen. Papa vond ze ook...'

'Madame. Je hoeft alleen maar...'

'Ik hoef helemaal niks! Moet jij eens opletten! Ik ga niet, zeg ik!'

'Jij hoeft...'

'En Thomas heeft me beloofd dat we een kerstboom gaan kopen met lampjes en ballen!'

Sarah barst in tranen uit.

'Bewaar je tranen voor betere zaken.'

Demonstratief verscheurt grootvader de brief.

'Jij hoeft alleen maar nee te zeggen, wilde ik zeggen.'

'Ik dacht dat je bedoelde dat ik er van jou heen moest', stottert Sarah.

Een paar dagen later rinkelt de telefoon. Grootvader geeft de hoorn zwijgend door aan Sarah.

'Dag Sarah, met mij, je tante Monica.'

'Mmmhhh', doet Sarah.

'Ik hoor niets op mijn brief en daarom bel ik maar eens. Wij verheugen ons erop dat je met kerst bij ons bent.'

'Ik kom niet!'

'We gaan gezellig naar de bioscoop en zo.'

'Ik blijf bij grootvader en Thomas!'

'En we gaan de stad in om nog iets voor je verjaardag te kopen.'

Sarah zucht.

'Ik begrijp best dat je het moeilijk vindt om tegen je grootvader te zeggen dat je wilt komen logeren. Het is geen makkelijke man, maar daar trekken we ons niets van aan! Ik kom je fijn ophalen.'

'Ik wil hier blijven!'

'Willen ze je dat plezier nou ontnemen? Het is...'

Sarah trekt een benauwd gezicht en kijkt grootvader aan.

Hij pakt de hoorn uit haar hand en zegt: 'Mankeer je wat aan je oren? Ze wil niet!'

Met een klap legt hij de hoorn neer.

In diezelfde kerstvakantie schrijft Sarah een brief.

Dag tante Fie. Gelukkig Nieuwjaar!

Ik heb nog twee dagen vakantie! Dit is ook een leuke school. Ik had met mijn verjaardag een echt groot feest met muziek en dansen voor bijna mijn hele klas. Iedereen vond mijn feest het leukste feest van de hele school. En ik heb met Thomas een kerstboom gekocht. We hebben er heel veel lampjes en ballen in gedaan. Hij was fantastisch mooi. En met oudejaarsavond mocht ik opblijven en vuurpijlen afsteken met Thomas in de tuin. Hij maakt veel grappen. Grootvader zegt meestal niks. Kom je ons een keertje bezoeken? Dan kun je mijn kamer zien.

Groetjes van Sarah.

12

'Hebben jullie vanmorgen ook gemerkt hoe lekker het buiten rook?' vraagt Sarah. 'En hebben jullie ook de lijsters in de tuin gezien?'

Ze zitten aan tafel te eten. Sarah is degene die almaar praat. Thomas luistert naar haar verhalen en stelt vragen of lacht mee. Grootvader reageert nergens op en eet zwijgend verder.

'Wij hebben een brief gekregen van onze meester. Je kunt naar een muziekschool. Daar kun je zingen of blokfluit leren spelen of piano of andere dingen. Ben zit er al een jaar op en die zegt dat het er tof is!'

'Echt iets voor jou, Saar', zegt Thomas. 'Wat lijkt je leuk?'

'Ik weet het niet, ik wil alles wel! Zal ik die brief even pakken?'

'Niks brief pakken', zegt grootvader. 'Ik ben er niet nieuwsgierig naar. Doe jij maar gewoon je best op school en verder niks.'

Sarah kijkt van grootvader naar Thomas.

'Waarom mag ik dat niet?'

Grootvader neemt een hap.

Thomas staart naar zijn bord.

'Het is niet duur, zei de meester.'

Grootvader moet hevig hoesten.

Thomas drukt onder de tafel zijn knie tegen de knie van Sarah. Hij knipoogt naar haar.

'Laat mij straks de brief eens lezen, schat.'

Meteen neuriet hij *Er was eens een juffrouw in Zaltbommel...*

Sinds de keer dat Sarah het briefje las dat grootvader onder de deur van Thomas schoof, leest ze elk briefje dat ze in huis ziet liggen. Als ze weet dat Thomas lang wegblijft, sluipt ze naar zijn werkkamer en zoekt ze naar briefjes van grootvader. De rommellade en de prullenbak zijn de beste plekken. Meestal zijn de snippers zo klein dat ze er geen compleet briefje meer van kan maken.

Nu staat ze met gekreukte snippers papier in haar handen. Ze strijkt ze glad en probeert de stukjes zo tegen elkaar te leggen dat er een zin ontstaat, maar er zijn stukjes papier weg.

Fluisterend leest ze de fragmenten een paar maal over en legt ze afwisselend voor en achter een ander fragment.

Haal het niet in je hersens om haar
Hou op
nog één keer
met dat muziekgedoe te stimuleren.
Je weet hoe ik erover denk!
mee te nemen op je motor!

Sarah haalt haar schouders op. Hoe ze de snippers ook achter elkaar legt, het blijven rare zinnen. Waarom schrijft hij muziekgedoe, alsof het iets raars is? En als grootvader aan Thomas heeft geschreven dat zij niet meer mee mag op de motor, dan is dat een rotstreek van hem!

Thomas heeft nog wel een speciale veiligheidshelm voor haar gekocht. Van hem mag ze altijd alles, maar van grootvader mag ze nooit iets!

Ze frommelt de snippers woedend in elkaar.

'Ik haat je!' zegt ze hardop.

De regen klettert op de straten. Als Sarah druipend voor de huisdeur staat, hoort ze de stofzuiger zoemen. Mevrouw Bloem is er nog!

'Hallo!' roept Sarah in de hal.

Mevrouw Bloem komt de trap af.

'Wat vliegt de ochtend! Ik had je nog niet uit school verwacht. Kind, wat ben je nat!'

Bedrijvig loopt ze naar de keuken. Ze hangt Sarahs natte jas dicht bij de verwarming en geeft haar een handdoek.

'Wrijf je haren droog en doe je schoenen ook maar uit. Dadelijk word je nog ziek! Je grootvader wist niet hoe laat hij terug zou zijn, maar we hebben afgesproken dat ik blijf totdat hij thuis is. Gezellig hè? Wij eten straks samen een boterhammetje. En omdat het woensdag is, ga ik vanmiddag pannenkoeken voor je bakken. Nou, wat zeg je daarvan?'

'En Thomas?'

'Daar kun je nooit een peil op trekken wanneer hij thuis is. Bovendien word ik betaald door je grootvader, dus daar houd ik me aan.'

Samen eten ze aan de keukentafel. Mevrouw Bloem babbelt honderduit. Als ze de bordjes afruimt, zegt ze: 'Nu moet ik weer gauw aan de slag, want ik wil de bovenkamer nog zuigen. Jij vermaakt je wel, hè?'

Sarah loopt achter mevrouw Bloem de trap op en gaat haar kamer in. Mevrouw Bloem draagt de stofzuiger de zoldertrap op. Even later hoort Sarah hem boven haar hoofd over de vloer schuiven.

Nieuwsgierig sluipt Sarah de zoldertrap op en gluurt de kamer in die tot nu toe afgesloten was. Ze is verrast door het heldere licht in de grote ruimte en stapt argeloos naar binnen. Aan de wanden hangen opvallend veel schilderijen en vlak voor een groot raam staat een piano.

'Hebben wij een piano?'

Verschrikt zet mevrouw Bloem de stofzuiger uit.

'Kind nog aan toe, ik schrik me dood! Ik heb je helemaal niet naar boven horen komen. Blijf maar lekker beneden. Ik ben hier zo klaar.'

'Ik wou dat dit mijn kamer was', zegt Sarah. Ze loopt van het ene venster naar het andere. 'Wat kun je hier ver kijken, zelfs met dit regenweer. Ik zie de Grote Kerk!'

Ze holt naar de andere kant van de kamer.

'En van hieruit kun je de duinen zien en de zee!'

Mevrouw Bloem ploft neer op een bank.

'Je lijkt je grootmoeder wel! Die was ook elke keer opnieuw verrukt van het uitzicht.'

Onmiddellijk zit Sarah naast haar.

'Vertel eens wat over haar.'

Mevrouw Bloem lacht vertederd.

'Wat wil je horen?'

'Alles! Ik weet niks, niemand praat over haar. Heb jij haar goed gekend?'

'Nou en of! Ik werk hier al vanaf mijn achttiende jaar.'

'Vertel!'

'Ze heette Sarah, net als jij.'

'Echt waar?'

Mevrouw Bloem knikt.

'Als Thomas en Paul naar school waren, was zij altijd hier op de zolder te vinden.'

'Dit is toch geen zolder, het lijkt wel een danszaal!'

'Hij is speciaal voor haar verbouwd met die lichtkoepels en ramen erin. Dat was een hele klus, en een rommel! Soms schilderde ze dagen achter elkaar, dan weer speelde ze piano. Ze was een goede pianiste, een echte concertpianiste. Nadat ze met je grootvader is getrouwd, is ze nooit meer opgetreden.'

'Waarom niet?'

'Ja, hoor eens, ik heb niet op al je vragen een antwoord. Ik heb wel eens horen fluisteren dat mensen die met muziek of kunst te maken hebben, in de ogen van je grootvader niet deugen.'

'Goh, concertpianiste!' zegt Sarah.

Ze gaat op de pianokruk zitten en slaat voorzichtig de klep open. Met één vinger raakt ze de toetsen aan. Eerst neuriet ze mee, maar al snel zingt ze luider en luider en slaat ze steeds harder op de toetsen.

Mevrouw Bloem schudt lachend haar hoofd en gaat weer stofzuigen. Het is een herrie van je welste, maar Sarah vindt het mooi. Lekker geluid, zo'n stofzuiger en piano door elkaar.

Rom, bom, manneke trom... zingt ze boven het kabaal uit.

Plotseling sterft het geluid van de stofzuiger weg.

'Wat zullen we nou beleven?' roept mevrouw Bloem.

Ze kijkt om en is meteen stil.

Grootvader staat met de stekker in zijn hand. Hij hijgt nog van het trappenlopen.

'Ik had u toch gevraagd het hier afgesloten te houden, mevrouw Bloem?'

'Dat doe ik ook altijd, meneer! Alleen vandaag liep alles een beetje anders met mijn werk en was ik nog niet klaar toen Sarah uit school kwam.'

'Madame, ga ergens anders spelen!'

'Waarom?'

Grootvader staat als een standbeeld, met zijn stok in zijn hand en zijn hoed op. Zijn zwarte ogen fonkelen.

Sarah gaat zonder nog iets te vragen naar haar kamer.

Ze hoort grootvader met mevrouw Bloem praten, maar kan niet verstaan wat ze zeggen. Dan klinkt het hoesten van grootvader in het trappenhuis en het geluid van de stofzuiger die boven haar hoofd weer wordt aangezet.

Als grootvader langs haar kamer komt, hoort ze hem benauwd ademhalen. Zijn stok bonkt op elke traptrede.

Zodra hij in de huiskamer in zijn vertrouwde stoel zit, staat Sarah voor hem.

'Ik vind die kamer de mooiste van het hele huis! Waarom moet de deur op slot? Ik maak heus niks kapot! Ik ben toch geen klein kind meer?'

Zijn hoestbui houdt zo lang aan dat Sarah naar de keuken holt om een glas water te halen.

Grootvader drinkt met kleine slokjes het glas leeg.

'Zij heette ook Sarah, hè?' zegt ze.

Grootvader veegt met de rug van zijn hand langs zijn mond en schraapt luidruchtig zijn keel.

'Zeg je daarom madame tegen mij?'

Omslachtig gaat grootvader in zijn stoel verzitten.

'Heb jij nog veel verdriet omdat ze dood is?'

Grootvader geeft geen antwoord, maar Sarah gaat door.

'Huil jij wel eens? Ik wel. Niet vaak hoor! Soms, in bed. En alleen om mijn vader. Om mijn moeder heb ik nooit gehuild. Die was al dood toen ik nog een baby was.'

Sarah zucht.

'En nu heb ik gelukkig Thomas en is het net alsof ik weer een vader heb.'

'Zou jij je mond willen houden?'

Sarah voelt een stortvloed van woorden in haar hoofd opborrelen. Ze houdt zich op het nippertje in en loopt met stijve benen naar de deur. Daar draait ze zich om.

'Ik zie heus wel dat je verdriet hebt', zegt ze.

Alweer een hoestbui.

'Madame!'

Sarah laat de deurkruk los en loopt terug naar zijn stoel.

'We... we praten er een andere keer over.'

'Morgen?'

'Een andere keer, zei ik.'

13

'Raad eens waar ik vandaan kom?'
Thomas heeft zijn jas nog aan en staat met zijn armen wijd uitgespreid.
Sarah kijkt op van haar boek.
'Kijk niet zo ernstig, Saar! Anders koop ik een rode puntmuts en een witte baard voor je, en plant ik je in de tuin als boskabouter!'
Ze schiet in de lach.
'Raad je het nog, of niet?'
Sarah haalt haar schouders op.
'Ik weet niks te verzinnen!'
Thomas trekt een geheimzinnig gezicht.
'Ik heb je opgegeven bij de muziekschool! Je krijgt één keer in de week een uur algemene muziekleer en één keer een uur pianoles.'
Sarah springt overeind, maar blijft meteen stokstijf staan. Ze kijkt naar grootvader die een boek zit te lezen.
'Je mag de piano gebruiken! Het is heus waar!' lacht Thomas.
Hij tilt haar op en zwiert haar in het rond. Ze gilt van plezier.
'Echt waar, Thomas?'
Hij knuffelt haar.
'Echt waar!'
Sarah slaat haar armen om zijn hals en geeft hem een zoen.
'Ik vind jou de liefste van de hele wereld!' zegt ze.
Grootvader heeft sinds Thomas' thuiskomst niet opgekeken van zijn boek.

Een paar dagen later doorzoekt Sarah uit gewoonte de prullenbak van Thomas. Er ligt veel in deze keer. Als ze een snipper vindt waar *piano* op staat in de forse letters van grootvaders handschrift, zoekt ze gejaagd naar de ontbrekende snippers en past ze als een legpuzzel in elkaar. Woord voor woord vormt ze een zin.

Regel dat ze pianoles krijgt bij die muziekschool

Sarah leest de zin wel tien keer over. Haar hart bonkt hevig. In haar blijdschap heeft ze geen moment meer aan grootvader gedacht! Thomas heeft hem omgepraat. Dat moet wel. Grootvader wilde toch eerst niet dat ze naar de muziekschool ging? Hij wilde niet eens de brief lezen.

Dan is het dubbel zo lief van grootvader dat hij het goedvindt dat ik de piano mag gebruiken, denkt ze. En ik heb hem niet eens bedankt!

Snel verbergt ze de snippers weer in de prullenbak en rommelt er met haar hand in.

Ze holt naar beneden en geeft grootvader pardoes een zoen op zijn wang.

Grootvader lijkt geschrokken te zijn van haar omhelzing.

'Vanwaar die adhesiebetuiging?'

'Wat zeg je?'

'Waarom dat gezoen?'

'Ik had je nog niet bedankt!'

'Hmmm?'

'Dat ik haar piano mag gebruiken.'

'Zo, schoot dat ineens door je hoofd?'

Sarah schrikt. Zou grootvader het weten van de snippers? Nee, dat kan niet! Ze doet altijd heel zacht en zelfs hij kan onmogelijk door plafonds en vloeren kijken.

Ze ontwijkt zijn blik.

'Ja, ik dacht er ineens aan!'

Als hij niet reageert, vervolgt ze: 'Ik snap best dat Thomas net zo lang heeft gezeurd over de muziekschool totdat je ja zei, maar hij heeft niks over de piano te vertellen.'

Grootvader schraapt zijn keel.

'Zo, waarom denk je dat?'
'Omdat jij de baas bent van haar spullen.'
'Zo.'
'Ik zal heel voorzichtig zijn met de piano.'
'Zo.'
'Als ik een mooi liedje kan spelen, kom je dan eens boven luisteren?'
'Ik hoor het hier beneden heel goed.'
'Kom je dan?'
Grootvader zegt niets.
'Afgesproken!' zegt ze.

14

Na de lichtflits volgt zo'n enorme klap dat Sarah rechtop in bed zit. Ze gilt het uit. Met haar ogen bijna dicht rent ze naar de slaapkamer van Thomas. Het is er donker en hij ligt niet in zijn bed. Huilend gaat ze de trap af en hoort de stem van een sportjournalist op de televisie.

Grootvader kijkt verstoord om als ze de huiskamer binnenkomt.

'Ik wil even bij je zijn', snikt ze.

Hij trekt een stoel naast de zijne en wijst ernaar.

'Ik wil even dicht bij je zijn.'

Sarah gaat op zijn schoot zitten en huilt opeens veel harder. Grootvader krijgt een hoestbui en zet het geluid van de televisie uit. Onhandig slaat hij een arm om haar heen.

'Ben jij bang voor onweer?'

Ze knikt en snuft in zijn hals.

Opnieuw is er een lichtflits, dwars door de dikke, rode gordijnen heen.

Sarah begint weer harder te huilen.

'Opletten', zegt grootvader streng. 'Dat is één, dat is twee, dat is drie, dat is vier, dat is vijf, dat is zes, dat is zeven, dat is acht...'

De donder rommelt.

'Het onweer is ongeveer acht kilometer van ons vandaan.'

'Kan me niks schelen', snikt Sarah.

'Jawel! We willen weten of het onweer dichterbij komt of van ons weggaat.'

'Dat kun je toch niet weten?'

'Daarom moet je tellen; elke derde seconde is ongeveer een kilometer.'

Sarah huivert bij de volgende bliksem.

'Tellen!' gebiedt grootvader.

Met een bibberstemmetje telt ze: 'Dat is één, dat is twee, dat is drie, dat is vier, dat is vijf, dat is zes, dat is zeven, dat is acht, dat is negen, dat is tien, dat is elf...'

Weer rommelt de donder.

'Het onweer gaat van ons vandaan', zegt grootvader.

'Echt waar?'

Hij knikt.

'Houd je ogen goed open en tel mee!'

Het is een poosje stil. Bij de volgende lichtflits telt Sarah hardop.

'Vijftien! Het is nu vijftien kilometer ver weg!'

'Ongeveer. Zo'n berekening heeft ook nog met warme en koude lucht te maken.'

'Hoe weet je dat?'

'Gelezen.'

Sarah zucht een paar keer diep achter elkaar en haalt hoorbaar haar neus op.

'Zat je naar het voetballen te kijken?'

Grootvader zet het geluid van de televisie weer aan.

Sarah gaat opnieuw tegen hem aan liggen. Grootvader ruikt heel anders dan Thomas; naar aarde en naar scheerzeep. En binnen in zijn borstkas klinkt een schurend geluid op het ritme van zijn ademhaling.

'Voor wie ben jij?'

'Ajax.'

'Winnen ze?'

'Hmmm.'

Het onweer rommelt in de verte.

'Is het nu honderd kilometer ver weg?'

'Hmmm.'

Minutenlang volgen ze de wedstrijd. Het lijf van grootvader dat meestal zo kaarsrecht in de stoel zit, beweegt als er spannende momenten zijn.

Opeens schiet zijn linkervoet uit.

'Zit!' roept hij.

'Zit!' doet Sarah hem na.

'Naast! Verdomme!'

'Naast! Verdomme!' giechelt Sarah.

Grootvaders wenkbrauwen vormen een zwarte streep.

'Naar bed jij!'

'Waarom hou jij altijd je hoed op?'

'Naar bed, zei ik!'

'Ik geloof dat ik Thomas hoor!'

Daar zwaait de kamerdeur al open. Zonder een woord te zeggen loopt Thomas snel naar hen toe en hurkt bij grootvaders stoel.

'Wat is er met je, Saar? Waarom ben je nog wakker?'

'Ze is bang voor het onweer, net als jij vroeger', zegt grootvader. Zijn stem klinkt ongewoon zacht.

Thomas kijkt grootvader aan.

'Net, toen ik in de auto zat, betrapte ik mezelf erop dat ik nog altijd tel tussen bliksem en donder.'

Grootvader schraapt zijn keel.

'Hoe bestaat het', zegt hij.

Sarah voelt dat de toon tussen grootvader en Thomas anders dan anders is.

'Ik ben al veel minder bang', zegt ze in een poging om de sfeer vast te houden. 'Grootvader heeft mij ook geleerd hoe ik moet tellen. Jammer dat het onweer nu weg is, anders konden we met ons drieën tellen.'

Grootvader rochelt.

'Zeg, madame,' zegt hij, 'wordt het niet eens hoog tijd dat je naar bed gaat?'

'Brengen jullie me samen?'

'Ik breng je!' zegt grootvader.

Hij zet de televisie uit en komt hoestend overeind.

Verbluft kijkt Thomas hem aan.

Sarah loopt voor grootvader uit de trap op. Ze hoort zijn adem piepen en zijn stok tikken.

Snel kruipt ze in bed. Alleen haar hoofd komt boven het dekbed uit.

Zwaar ademend staat hij naast haar bed.

'Hoe vind je mijn kamer eigenlijk? Heb je die wel eens goed bekeken?'

Grootvader mompelt iets. Zijn ogen blijven rusten op het portret boven het ladekastje.

'Heeft mijn vader niet kunnen afmaken. Jammer hè? Ik vind het mooi.'

'Hmmm.'

Sarah gaat weer rechtop zitten en kijkt ook naar het schilderij.

'Ik denk dat het een zelfportret moest worden, maar het lijkt ook op Thomas.'

'Hmmm.'

'En ook op jou.'

'Liggen en slapen!'

Behaaglijk trekt Sarah het dekbed over zich heen.

'Je moet me nog een nachtzoentje geven. Dat doet Thomas ook altijd!'

'Ik ben Thomas niet.'

Grootvader geeft met zijn stok klopjes boven op het dek.

'Ik wil je niet meer horen, begrepen?'

'Trusten', giechelt ze.

Als Sarah de volgende dag uit school komt, staat grootvader in de gang. Hij wenkt haar en gaat zijn slaapkamer in. Ze loopt achter hem aan en blijft naast zijn leunstoel staan. Grootvader opent zwijgend een lade in zijn bureau en haalt er een kistje uit.

Er liggen ringen en kettinkjes in. Grootvader vist er een kettinkje uit waar een glanzend wit steentje aan bengelt.

'Draai je om en haal dat haar weg.'

Sarah schuift haar haar naar een kant in haar nek en staat doodstil als hij het kettinkje om haar hals legt. Ze hoort het slotje klikken en voelt zijn handen op haar schouders.

Grootvader draait haar om. Zijn ogen waren nooit eerder zo dichtbij.

66

'Vanaf vandaag is dit van jou.'

Ze knikt.

Secondenlang kijken ze elkaar aan. Sarah is gefascineerd door de zwarte, glinsterende ogen van grootvader waar ze niet in kan kijken. Het is geheimzinnig stil in het vertrek. Ze hoort zijn zakhorloge tikken en zijn ademhaling regelmatig piepen.

'En was die kersenogen van je eens.'

Sarah lacht. Het plechtige moment is voorbij.

Op de bovengang komt ze Thomas tegen. Zijn blik valt direct op het kettinkje.

'Heb jij dat gekregen?'

'Ja.'

'Weet je van wie het is geweest?'

'Tuurlijk!' zegt ze.

15

Soms lijkt het Sarah nog maar heel kort geleden dat ze met haar vader samen was en tegelijkertijd voelt het alsof ze altijd al bij grootvader en Thomas heeft gewoond. Zodra ze uit school komt, zit ze achter de piano. De oefeningen die ze elke week van meneer Akkerman van de muziekschool krijgt, kan ze moeiteloos spelen. Daarna gaat ze zelf spelen, zoals ze haar improviseren noemt. Haar vingers glijden als vanzelf over de toetsen. Ze geniet van elk verzonnen stukje en speelt het telkens opnieuw, zonder dat ze de noten hoeft op te schrijven.

Dat Thomas en grootvader zelden een woord met elkaar wisselen, gaat haar hinderen. Als zij samen in een vertrek zijn, is de sfeer meteen anders. Sarah wil het liefst dat zij altijd met hun drieën zouden praten en lachen. Ze denkt vaak terug aan de nacht van het onweer toen grootvader en Thomas met elkaar hadden gesproken. Even was het fijn geweest en voelde het heel lief tussen hen.

Als Thomas niet thuis is, zit Sarah bij mevrouw Bloem in de keuken. Die maakt dan heerlijke chocolademelk voor haar. Sarah vindt het leuk om bij mevrouw Bloem te zijn, omdat zij zoveel weet van de tijd dat grootmoeder nog leefde. Bovendien praat zij er graag over.

Grootvader is kortaf als ze hem wat vraagt over vroeger en Thomas kan wel spannende verhalen vertellen, maar Sarah weet niet of het altijd waar is wat hij zegt.

Als tante Trudie bij grootvader op bezoek is, laat Sarah zich niet zien.

Mevrouw Bloem probeert haar over te halen om gedag te gaan zeggen, maar Sarah weigert.

'Ik vind haar een eng wijf!'

'Al zou je het maar voor je grootvader doen.'

'Waarom? Hij heeft nog nooit gezegd dat het moest.'

Mevrouw Bloem gooit een geschilde aardappel in een pan met water en lacht.

'Ik ben zelf ook niet zo dol op Trudie, maar dat is een ander verhaal.'

'Vertel!'

'Later misschien.'

'Doe niet zo geheimzinnig!'

'Elk huis heeft zo zijn geheimen.'

Mevrouw Bloem zegt het een beetje deftig en kijkt Sarah veelbetekenend aan.

Sarah glimlacht naar mevrouw Bloem met haar ik-begrijp-best-waar-je-het-over-hebt-lachje. Het is een speciaal glimlachje dat Sarah gebruikt wanneer ze iets niet snapt. Ze heeft gemerkt dat anderen dan juist denken dat ze van alles op de hoogte is.

Mevrouw Bloem schudt ernstig haar hoofd.

'Het zit ook zo moeilijk tussen je grootvader en Thomas. En Trudie doet geen goed tussen die twee.'

Sarah knikt instemmend.

'De generatie van je grootvader heeft heel andere opvattingen. Het is voor hem onaanvaardbaar dat zijn zoon...'

Mevrouw Bloem zwijgt.

'Hmmm', doet Sarah.

'... zo is', vervolgt mevrouw Bloem. 'En van Thomas begrijp ik heel goed dat hij het zijn vader moeilijk kan vergeven dat die...'

Mevrouw Bloem kijkt peinzend voor zich uit en pakt de volgende aardappel. Ze schilt hem en gooit hem in de pan. Als haar hand weer een aardappel pakt, herhaalt Sarah: 'Dat die...?'

Mevrouw Bloem lijkt wakker te schrikken.

'Heb ik nog niks voor je ingeschonken?'

'Alsof ik niet weet dat er wat tussen grootvader en Thomas is!'

'Tja', zegt mevrouw Bloem.

'Het is grootvader die het niet wil goedmaken, dat weet ik zeker!'

Mevrouw Bloem zucht.

'Het zijn gevoelige kwesties', zegt ze.

Als grootvader niet leest, zit hij met een schaakbord voor zich.

'Lekker makkelijk, met jezelf schaken', zegt Sarah. 'Win je altijd.'

'Ik zit niet met mezelf te schaken.'

'O nee, wat zit je dan te doen?'

'Daar heb jij geen verstand van.'

'Vertel het me dan!'

'Ik los schaakproblemen op.'

De woorden komen met tegenzin uit zijn mond.

'Is dat spannend?'

'Hmmm.'

'Is gewoon schaken niet spannender?'

'Hmmm.'

'Als je het mij leert, kunnen wij samen schaken.'

De zwarte ogen kijken haar vernietigend aan.

'Het is geen kinderspel.'

'Poeh! Ik weet er best wel wat van af.'

Sarah wijst: 'Die heten torens, die andere lopers, die kleintjes pionnen, de grootste de koning, die andere grote de koningin en dat zijn de paarden. En alleen de paarden mogen de paardensprong maken.'

'Zo.'

'Heeft mijn vader me geleerd voor hij doodging.'

Grootvader wijst op een stoel.

Sarah schuift hem bij en gaat zitten.

Grootvader maakt het bord leeg.

'Schaken is een spel van oorlog voeren dat je speelt op een bord met vierenzestig velden. Je begint ieder met...'

'... een zwart blokje aan je linkerhand.'

'Een wit hoekveld aan je rechterhand', zegt grootvader nadrukkelijk. 'En als je er geen kinderspel van wilt maken, moet je beginnen met de juiste benamingen te leren.'

De zwarte ogen kijken haar doordringend aan.

'Je spreekt van velden en niet van blokjes. En je zegt dame, niet koningin.'

Sarah knikt.

Grootvader wijst.

'Deze velden nummeren we in gedachten van één tot acht, deze van a tot h.'

Sarah knikt weer.

'Als ik dus C7 zeg, bedoel ik...?'

'Dit blokje', wijst ze.

Grootvader zucht overdreven.

'Veld!'

Hij knikt goedkeurend en wijst.

'Verder moet je onthouden dat dit de koningsvleugel is, en dit de vleugel van de dame. En dat deze vier velden het centrum vormen.'

Grootvader gebaart, praat over diagonalen, rijen en lijnen, en dat elk schaakstuk zich volgens een andere regel verplaatst.

Sarahs hoofd wordt er warm en plakkerig van. Poeh, je moet wel erg veel onthouden met schaken. Daarom is het zeker geen kinderspel, denkt ze. En de koning is het belangrijkste stuk. Als hij gevangen zit, heet het mat en dan is het spel uit.

'De opening', zegt grootvader.

Hij neemt een zwart en een wit stuk in zijn handen, verwisselt ze een paar keer, sluit zijn handen tot vuisten en houdt ze Sarah voor.

'Kies!'

'Ik wil met zwart spelen.'

'Een mens heeft niks te willen! Het lot beslist!'

Sarah raakt met een vinger een gesloten hand aan.

'Deze.'

Grootvader draait zijn hand om en opent hem. Het is een zwart stuk.

Sarah kijkt hem triomfantelijk aan.
'Wist ik!'
Lachend kijkt ze in de zwarte ogen.
'Ik houd nu eenmaal van zwart.'
'Wit begint', zegt grootvader.

16

Thomas neemt twee treden tegelijk naar de zolder. Hij geeft Sarah een zoen boven op haar haar als hij langs de piano loopt en gaat voor het grote raam staan.
Sarah stopt met haar oefeningen.
'Wil je wat zeggen?'
Thomas draait zich om.
'Slimmerd!'
Hij gaat op de bank zitten.
Lachend ploft Sarah naast hem neer. Vol verwachting kijkt ze naar hem. Wat zal hij deze keer te vertellen hebben?
Thomas slaat een arm om haar heen.
'Hoor eens, Saar.'
Zijn stem klinkt vreemd.
'Is er iets naars?'
Thomas lacht hard.
'Hoe kom je daar nu bij? Nee hoor, ik sta net te denken dat ik er wel eens tussenuit wil. Naar een eiland in de zon bijvoorbeeld.'
'Dat kan nu niet! Ik moet toch naar school?'
'Ik zou met een vriend willen gaan.'
'Ik heb hier nog nooit vrienden van jou gezien!'
'Jouw grootvader houdt niet zo van mijn vrienden.'
'Jij gaat in ieder geval nooit met vakantie zonder mij. Daar trap ik niet in!'
Sarah lacht uitgelaten.
'Je zult moeten wachten tot de grote vakantie.'
Thomas kijkt hulpeloos.
'Ik wilde eigenlijk zeggen...'
Sarah zit alweer op de pianokruk.
'Ik heb een heel vrolijk stukje verzonnen. Wil je het horen, Thomas?'

Als Sarah een paar dagen later uit school komt, ligt er een envelop op haar bed. Ze herkent het handschrift van Thomas en scheurt hem lachend open. Haar lach verdwijnt onmiddellijk als ze de eerste regels leest.

Lieve Saar,
Onverwacht ben ik een paar dagen weg. Ik kon het op dit moment mooi combineren met een paar zaken die ik in het buitenland moet afhandelen. Volgende week zaterdag ben ik terug! In deze envelop zit een kaartje met een telefoonnummer waar je me kunt bereiken als er iets bijzonders is.
Liefs van Thomas.

Verslagen zit ze op haar bed.
'Het kan niet', zegt ze hardop. 'Thomas laat me heus niet in de steek. Het is vast een grap!'
Nerveus probeert ze zich hun gesprekken van de laatste dagen te herinneren. Wat zei Thomas nu ook al weer in de muziekkamer?
De waarheid dringt tot haar door; Thomas is niet onverwachts weggegaan! Hij wist het vorige week al!
Wat een rotstreek, denkt ze. Waarom heeft hij het me niet eerlijk gezegd? Tranen springen in haar ogen. Ze pakt haar knuffeldier van haar kussen en verbergt haar gezicht in de vacht. Even later smijt ze het terug op haar bed.
Traag loopt ze de trap op. De oefeningen op de piano lukken niet. Ze slaat met een daverende klap de klep van de piano dicht. Het geluid dreunt na door het hele huis, maar Sarah hoort het niet. Ze staat voor het venster van waaruit ze in de verte de duinen en de zee kan zien.

Mevrouw Bloem roept haar voor de lunch.
'Chocolademelk?' vraagt ze.
Sarah schudt haar hoofd.

'Wat zullen we nou beleven! Je hebt toch geen griep te pakken? Als jij geen chocolademelk lust, ben je ziek. Ik maak wel een beker kruidenthee voor je. Hier, alsjeblieft.'

Moeizaam kauwt Sarah op een boterham. Ze heeft nergens zin in, zelfs niet in een gesprek met mevrouw Bloem.

Met een zucht zet ze haar lege beker neer en staat meteen op om naar boven te gaan.

'Wacht eens even', zegt mevrouw Bloem. 'Laat me eens aan je voorhoofd voelen. Het zou me niets verbazen als je koorts hebt.'

'Ik heb niks!'

Sarah slaat driftig de keukendeur achter zich dicht.

De volgende dagen kruipen voorbij. Elke keer dat Sarah naar de klok blikt, is ze verwonderd. De wijzers lijken vastgeroest te zitten.

Op de muziekschool vraagt meneer Akkerman: 'Is alles goed met jou, Sarah?'

Ze wordt kribbig van al dat gevraag. Mevrouw Bloem is ermee begonnen, toen de meester op school en nu hij weer.

'Ik heb niks!'

Sarah ontloopt iedereen en zit op haar kamer of in de muziekkamer. De piano raakt ze nauwelijks aan. Ze staat almaar naar de zee te staren.

Als ze op een avond de huiskamer inglipt om even iets te pakken, zegt grootvader: 'Ik hoor of zie je nauwelijks. Wat spook je toch uit?'

'Niks!'

'Partijtje schaken?'

'Nee!'

Sarah loopt snel de kamer uit, rent de trap op en laat zich op haar bed vallen.

Ze staart naar het portret. Het lijkt te bewegen; het gezicht van haar vader verandert in het gezicht van grootvader en dan weer in dat van Thomas. Ze knippert met haar oogleden en veegt haar tranen weg, maar de gezichten komen telkens weer terug.

Opeens komt ze overeind en gaat met het kaartje in haar hand naar de werkkamer van Thomas. Ze knipt zijn bureaulamp aan en toetst zorgvuldig de cijfers in. Ze vindt het heel spannend om te doen. Als Thomas haar zo meteen vraagt wat er is, moet ze weer 'niks' zeggen.

Haar hart klopt in haar keel als ze hoort dat de telefoon na een paar keer bellen wordt opgenomen. Een man die een taal spreekt die ze niet verstaat, roept iets.

'Ik wil Thomas spreken.'

De man herhaalt zijn zin.

'Thomas!' roept ze. 'Thomas Rosenthal!'

Sarah hoort aan de toon dat de verbinding is verbroken en legt de hoorn neer. Ze loopt terug naar haar kamer, trekt de deur met een harde ruk dicht en laat zich boven op haar bed vallen. Ze omarmt haar kussen en huilt hartstochtelijk.

Diep in de nacht wordt Sarah wakker van heftige stemmen. Meteen zit ze overeind, ze bibbert. Ze heeft het koud gekregen zo boven op het bed. Sarah sluipt naar haar kamerdeur en luistert. Beneden in de hal klinkt de stem van grootvader.

Voorzichtig opent ze haar deur op een kier en hoort grootvader duidelijk vloeken.

'... vierentwintig uur per dag, lamstraal! En niet af en toe! Je moest je ogen uit je kop schamen! Hoe durfde je het in je hersens te halen om voogdij aan te vragen? Reken erop dat ik er alles aan zal doen dat het niet doorgaat! Jou moeten ze mijlenver bij kinderen uit de buurt houden!'

Sarah sluipt op haar tenen de gang in, steeds dichter naar de trap toe.

'Rabarber-rabarber-rabarber', zegt de andere stem zacht.

'Jij beseft niet eens waarmee je haar pijn doet, egoïst! Dat kind heeft al genoeg afscheid moeten nemen, maar meneer moest zo nodig met zijn vriendjes op stap! Hoe wil jij haar beschermen tegen het uitschot in deze wereld? Zo iemand als jij kan niet eens voor zichzelf instaan!'

De woorden dringen niet tot Sarah door. Ze luistert alleen naar de stemmen. Met wie maakt grootvader zo'n ruzie?

'Vader, geloof me! Ik heb nog nooit een kind...'

Thomas? Dat kan niet! Die komt toch pas zaterdag terug?

Het volgende moment vliegt ze de trap af en gilt: 'Thomas!' Ze springt in zijn armen en huilt en lacht tegelijk.

Grootvader lijkt te schrikken van haar aanwezigheid en loopt hoofdschuddend weg. Het tikken van zijn stok op de marmeren tegels klinkt harder dan anders.

'Schat!' zegt Thomas. 'Laat me naar je kijken.'

Hij duwt haar hoofd een stukje weg.

'Wat zie je er verfomfaaid uit! En je hebt je kleren nog aan! Wat is er met je?'

'Niks.' Sarah haalt hoorbaar haar neus op. 'Dat je er nu al bent.'

Meteen huilt ze weer.

'Ik heb je zo gemist, Saar!'

'Echt waar?'

'Echt waar!'

'Als je nog eens weggaat, neem je mij dan mee?'

Thomas knikt.

'Beloof het!'

'Beloofd!' zegt hij.

17

Sarah staat in de serre naar de tuin te kijken. Het regent al dagen. Alles ziet er buiten grijs en nat uit. Als ze een leeuwerik op een paaltje hoort zingen, zoekt ze Thomas op in zijn kamer.

'Een leeuwerik hoort toch op akkers thuis?'

Thomas staat voor de wand met foto's. Sommige foto's zijn ingelijst, andere zijn vastgeprikt met punaises. Van foto's van familieleden weet Sarah wie het zijn; ze heeft het Thomas telkens opnieuw gevraagd. Er hangen ook foto's van artiesten en popmuzikanten bij die Thomas bewondert.

'Waarom vraag je dat?'

'Er zit er eentje bij ons in de tuin te jubelen in de stromende regen.'

'Verdwaald zeker.'

Thomas blijft met zijn rug naar haar staan.

'Heb je nieuwe foto's?'

'Nee, ik sta zomaar te kijken.'

'Ik vind foto's kijken nog leuker dan televisie!'

'Ik heb dozen vol!'

'Zitten daar foto's van mijn vader en moeder bij?'

'Vast en zeker!'

'Mag ik ze zien?'

'Ik wilde net thee gaan zetten.'

'We kunnen toch een doos mee naar beneden nemen?'

'Doen we', zegt Thomas.

Grootvader kijkt niet op als ze binnenkomen. Sinds de vakantie van Thomas praat hij nog minder en lijkt hij ook minder te horen.

'Hij wordt stokdoof', zegt mevrouw Bloem.

Zijn zwijgen lijkt zo gewoon, dat Sarah hem zelfs niet altijd meer groet.

Thomas zet de doos op de grote tafel.

'Zoek maar eens goed of je jezelf kunt vinden, ik zet ondertussen een pot thee.'

Nieuwsgierig opent Sarah de doos en pakt er handenvol foto's uit waarvan ze stapeltjes maakt.

Als Thomas met de theepot binnenkomt, roept ze: 'Ik zie er een heleboel waarover ik je wat wil vragen.'

Thomas lacht.

'Nog twee minuten geduld.'

Zwijgend zet hij een beker thee neer bij grootvader.

Even later buigt hij zich samen met Sarah over de stapeltjes foto's.

'Weet je wat ik net bedenk, Saar? Van de foto's waar jij op staat, maken we voor jou een fotoalbum. Vind je dat leuk?'

'Ja!' roept ze. 'Een eigen album! Met jou erin en mijn vader en grootvader. Dan heb ik jullie allemaal bij elkaar.'

'Precies!' zegt hij.

Als Thomas een foto van Sarah in zijn handen heeft, vertelt hij er uitgebreid over. Andere foto's legt hij meteen in het deksel.

'Díe! Die je weglegt! Wie zijn dat?'

'Heeft niets met jou te maken, Saar!'

Ze graait in de doos.

'Dit kan ik wel zijn', zegt ze.

Op de foto zit een baby in een perk met bloemen.

Thomas lacht.

'Als ik die foto zie, moet ik altijd lachen. Paul en ik waren met jou in het park. Ik wilde een foto van je maken met dat beeldje van De Fluitspeler op de achtergrond. Paul tilde jou over het hekje en meteen kroop je naar de bloemen. Hij probeerde je over te halen om naar het beeldje te komen, maar dat vertikte je. Je ging midden tussen de bloemen zitten. Ik heb heel wat acrobatische toeren moeten uithalen om je ertussenuit te plukken.' Thomas kijkt vertederd naar de foto. 'Je pakte alleen de witte bloemen. En hoe oud was je toen? Ruim een jaar, denk ik.'

'Ik vind nu nog witte bloemen het allermooist.'

'Moeder hield ook zo van witte bloemen.'
'En jij koopt altijd gekleurde?'
Grootvader blaast minachtend.
'Een vent die bloemen koopt', bromt hij.
Met veel geritsel vouwt hij zijn krant andersom.
Thomas knipoogt naar Sarah. Als antwoord knijpt ze haar beide ogen even dicht. Ze lachen naar elkaar. Sarah kijkt tersluiks naar grootvader, maar die zit verborgen achter zijn krant. Ze pakt een volgende foto en ziet een ouderwetse auto met open kap. Thomas zit achter het stuur. Grootvader zit naast hem.
'Wat een rare auto!'
'Raar? Saar, die was zo mooi! Ik was toen helemaal gek van oude auto's. Achterin, met die sjaal, zit moeder, zie je wel? Moeder was dol op mooie sjaals. En naast haar zit jouw moeder.'
'Was mijn vader er niet bij?'
'Ik denk dat hij de foto maakte. Wil je deze erbij voor jouw album?'

Sarah pakt een foto van het stapeltje in het deksel.
'Van die heb je er ook veel! Wie is dat? Geen familie, zei je net.'
Thomas aarzelt.
'Een meisje waarmee ik verkering had.'
'Ging het uit tussen jullie?'
'Ja', zegt hij zacht.
'Heeft zij het uitgemaakt?'
Grootvader kucht spottend.
'Ik heb het uitgemaakt.'
'Waarom? Ze lijkt mij best aardig.'
'Dat was ze ook, maar ze...'
Thomas zoekt naar woorden. Als Sarah een lachje over zijn gezicht ziet glijden, voelt ze dat het niet waar is wat hij wil gaan zeggen.
De krant in grootvaders handen ritselt opvallend.
'...was nou eenmaal geen kind meer', mompelt grootvader.

Thomas wordt bleek. Zijn handen trillen als hij de volgende foto pakt.

Sarah luistert niet naar grootvaders woorden. Ze is eraan gewend geraakt dat hij tijdens het kranten lezen af en toe iets zegt dat nergens over lijkt te gaan.

Nieuwsgierig pakt ze de volgende foto.

'Weer zo'n rare auto! Ik zal raden, goed? Jij zit achter het stuur, mijn vader zit naast je, achter hem zit grootvader en achter jou zit...'

Ze bekijkt de foto aandachtig.

'Diezelfde jongen staat ook op je bureau!'

'Max Koolmees.'

'Koolmees? Zo heette grootmoeder toch? Is hij familie van haar?'

Grootvader krijgt een hoestbui die zolang aanhoudt dat ze stoppen met praten en wachten totdat het benauwde gerochel en gehijg is opgehouden.

'Hij was officieel een volle neef van Paul en mij.'

'Was? Is hij dood?'

'Ja. Verongelukt. Hij is maar tweeëntwintig jaar oud geworden.'

'Staat hij daarom op je bureau?'

'Niet omdat hij dood is, maar omdat ik net zoveel van Max hield als van Paul.'

'Is hij al lang dood?'

'Even voordat moeder overleed.'

Opnieuw stokt hun gesprek door een hevige hoestbui van grootvader.

Sarah haalt een glas water in de keuken, maar grootvader duwt het glas ruw weg.

'Hij stikt liever dan dat hij iets accepteert', zegt Thomas.

Hij zegt het op zo'n vreemde toon dat Sarah voelt dat Thomas niet het glas water bedoelt. Wat hij wel bedoelt, begrijpt ze niet.

Thomas wacht totdat grootvader is uitgehoest. Hij blijft naar hem kijken als hij zegt: 'Max was mijn neef, maar het voelde als een broer.'

Sarah pakt de foto uit zijn handen.

'Je ziet duidelijk dat het familie is. Hij lijkt op mijn vader en op jou. Even denken, zijn vader was dus een broer van grootmoeder?'

Sarah kijkt naar de jongen op de foto.

'Had hij echt zulke zwarte ogen of lijkt het zo door de foto?'

'Max had echt zwarte ogen.'

'Dat zie je haast nooit! Bruine ogen genoeg; jij, mijn vader en ik. Buiten grootvader ken ik niemand met zwarte ogen.'

'Ik ook niet.'

Thomas' stem klinkt vreemd.

Het wordt doodstil in de kamer.

'Wie was zijn moeder?'

Thomas blikt een moment naar grootvader voordat hij hatelijk zegt: 'Tante Trudie!'

18

Thomas staat voor de spiegel van zijn klerenkast met een splinternieuw pak aan.

'Saar! Kom je even kijken?'

Als Sarah binnenloopt, staat Thomas in de starre houding van een etalagepop.

'Is dat het nieuwe pak waarover je vertelde?'

Sarah loopt bewonderend om hem heen.

'Deftig hoor!'

Voorzichtig aait ze met een vinger over zijn mouw.

'Het lijkt bruin als je het voor het eerst ziet, maar als je goed kijkt, zie je dat er rode streepjes inzitten.'

Thomas doorbreekt zijn starre stand. Zijn hele gezicht lacht.

'Jij vindt het vast ouderwets, Saar, maar soms hou ik van klassieke kleren en een andere keer van moderne.'

'Je mag toch zeker zelf weten wat je doet.'

Thomas kijkt haar lang aan.

'Nee, schat, dat mag je niet.'

'Als jij je aantrekt wat anderen zeggen, ben je pas echt stom! En ik vind het mooi!'

'Ik wist dat je het mooi zou vinden. Moeder had het vast ook mooi gevonden. En weet je...'

Thomas heeft altijd iets samenzweerderigs in zijn stem. Iets geheimzinnigs dat warm en lief voelt.

'Heb jij die nieuwe herenmodezaak op de Laan gezien?'

'Ja!'

'Daar zag ik vanmiddag een stropdas in de etalage liggen die precies dezelfde bruine tint met dat rood in zich heeft. En die ga ik kopen.'

'Je hebt al honderd dassen!'

'Je overdrijft, Saar. Ik heb er een heleboel, maar geen honderd.'

Hij opent zijn kast en trekt het rek met stropdassen naar buiten.

Een voor een laat hij ze door zijn handen gaan voordat hij ze als een kleurige waaier op bed drapeert.

'Het zijn allemaal zijden dassen. Moet je die kleuren zien, zoals deze hier.' Thomas pakt er een op en toont hem aan Sarah. 'Die zag ik in Londen en het volgende moment had ik hem gekocht!'

'Je verzamelt ze! Net zoals ik schelpen en knuffels spaar.'

Thomas lacht.

'Misschien heb je gelijk.'

Sarah is op het bed gaan zitten en raakt de dassen aan.

'Ik krijg ineens een idee.'

'Vertel, Saar!'

Ze pakt een das en draait hem om.

'Moet je zien, Thomas, hoe breed een das is als je hem uitvouwt. Als je ze allemaal aan elkaar naait, krijg je een prachtige rok om in te dansen. Als je je dan beweegt, zie je al die kleuren verspringen. Zie je het voor je?'

Thomas lacht schaterend.

'Prachtig idee! Als je maar van mijn dassen afblijft!'

Als Sarah een paar dagen later op de Laan loopt, kijkt ze onwillekeurig in de etalage van de nieuwe herenmodezaak. Ze twijfelt geen seconde; daar ligt de das waar Thomas het over had.

Ik ga hem kopen, denkt ze. Impulsief stapt ze de winkel binnen.

Een oudere man staat achter een toonbank.

'Jongedame?'

'Wilt u die rood met bruine stropdas uit de etalage halen?'

De man opent het deurtje van de etalage. Sarah staat naast hem en wijst.

'Wil je niet eerst weten hoeveel hij kost? Het is een das van zuivere zijde.'

Sarah voelt haar wangen rood worden.

'Hoeveel?' vraagt ze.

De man noemt een bedrag dat haar even de adem beneemt. Ze rekent snel uit hoeveel weken zakgeld het is.

'Ik heb nu geen geld bij me', zegt ze. 'Zaterdagmiddag breng ik u alvast een gedeelte en de week daarna weer, net zolang totdat ik hem betaald heb, afgesproken?'

'Prima, jongedame. Tot ziens!'

De man wil het deurtje sluiten.

'U moet hem daar weghalen! Ik koop hem echt, dat heb ik toch net met u afgesproken?'

'Het is niet de gewoonte dat wij iets uit de collectie halen als er niets op is aanbetaald.'

'Het moet wel deze keer! Hij mag niet aan een ander worden verkocht!'

Sarah is verbaasd over haar eigen stem.

De man pakt de das uit de etalage en loopt terug naar de toonbank.

'Ik zal hem tot zaterdag bewaren', zegt hij.

Grootvader zit met opengeslagen krant voor zich.

Sarah laat haar hoofd boven de rand van de krant uitsteken.

'Mag ik mijn zakgeld tien weken vooruit?'

Grootvader legt de krant neer.

'Je bent nogal wat van plan.'

Sarah knikt.

'En je wilt zeker niet zeggen waarvoor je het nodig hebt?'

Ze zwijgt.

'Wanneer wil je het hebben?'

'Zaterdagmorgen.'

Grootvader sluit een ogenblik zijn oogleden.

'Dat is lief van je', zegt Sarah.

'Zal ik je eens wat vertellen', zegt Thomas. 'De das die zo mooi bij mijn pak past, ligt niet meer in de etalage.'

'O nee?' zegt Sarah. Haar stem piept.

'Echt jammer', zegt Thomas. 'Er zijn stropdassen genoeg op de wereld, maar ik had mijn zinnen op deze gezet. Ik loop van de week wel even naar binnen; misschien kan hij nog besteld worden. Is er iets, Saar?'

'Godgloeiend, ik moet nog huiswerk maken', zegt Sarah. Ze stuift de kamer uit.

'Neem mooiere woorden van me over!' roept Thomas haar achterna.

Die zaterdag is Sarah opgewonden. Ze heeft geen portemonnee en klemt het geld in haar zweterige hand.

De man van de herenmodezaak zegt: 'Je komt een aanbetaling doen voor de das, jongedame?'

'Nee, ik neem hem meteen mee! Wilt u hem heel mooi inpakken, want het is een cadeau.'

Haar stem klinkt opeens deftig, vindt ze.

De man gaat aan het werk met een kartonnen doosje, vloeipapier en cadeaupapier. Sarah telt het geld hardop.

'Bewaar de kassabon, dan kan de das geruild worden.'

'Hij wordt niet geruild!'

De man loopt mee naar de winkeldeur en houdt hem voor haar open. Buiten zet ze het meteen op een rennen. Buiten adem steekt ze haar sleutel in het slot.

'Laat grootvader nog niet terug zijn van de kapper', bidt ze.

Thomas loopt met twee treden tegelijk de trap op. Hij draait zich om.

'Waar was je, schat?'

Sarah loopt achter hem aan de trap op en zijn werkkamer in. Ze sluit de deur achter zich.

Thomas kijkt haar aan.

'Wat is er, Saar?'

'Ik heb wat voor je!'

Zijn gezicht straalt.

'Jij hebt wat voor mij? Vertel op!'

Sarah geeft hem het pakje.

'Een cadeau!'

Thomas lacht niet meer. Hij gaat in zijn bureaustoel zitten.

'Een cadeau?'

Sarah gaat boven op zijn bureau zitten en zegt dringend: 'Maak nou open!'

Thomas staart naar het gouden etiket van de herenmodezaak.

'Godgloeiend! Wat heb je gedaan?'

Gespannen let ze op zijn gezicht als hij het vloeipapier openvouwt. Als hij nog steeds niets zegt, ratelt ze: 'Je dacht dat hij weg was, hè? Dat was ook zo, maar je wist niet dat ìk hem had laten wegleggen.'

Een traan glibbert over Thomas' gezicht. Dat werkt aanstekelijk voor Sarah. Ze knijpt even haar ogen dicht om haar tranen tegen te houden.

Thomas staat op. Hij knuffelt Sarah en kust haar op haar voorhoofd.

'Wat een prachtig cadeau', fluistert hij. 'Ik schrik ervan! Altijd als ik het pak draag, zal ik er deze stropdas bij dragen. En altijd zal ik weten dat ik hem van jou heb gekregen.'

Thomas neemt de das in zijn handen en streelt de stof.

'Ik vraag mij alleen af hoe jij zo'n dure das...'

'Dat is het geheim van de smid!'

Thomas legt de das weer in de doos. Zonder enige overgang zegt hij langzaam: 'Als ik doodga, wil ik in het mooiste pak dat ik bezit mijn kist in. Beloof me, Saar, dat jij ze tegenhoudt als ze mij zo'n vreselijke streepjespyjama willen aantrekken.'

'Jij mag niet doodgaan!'

Hij kijkt haar aan.

'Moet je ons horen, we lijken wel gek! Weet je niets beters?'

Luidkeels zetten ze tegelijk in: *Er was eens een juffrouw in Zaltbommel...*

19

Sarah schept haar bord vol pasta.

'Wij geven voor de grote vakantie een muziekuitvoering!' Ze kijkt vanuit haar ooghoeken om te zien hoe grootvader zal reageren.

'Fantastisch, Saar!' roept Thomas. 'Je bedoelt met de hele muziekschool?'

'Met allemaal! Het is een verrassing wat we precies gaan doen, maar Ben mag als solist optreden en ik mag hem begeleiden. En ik wil dat jullie er dan ook bij zijn.'

'Denk je dat ik dat wil missen?' lacht Thomas.

'Ik wil dat jullie allebei komen.'

Ze zegt het dwingend.

Grootvader eet zwijgend door. Het lijkt alsof hij niets van hun gesprek heeft verstaan.

'Hij wil er nog even over nadenken', fluistert Thomas.

'Grootvader, ik vroeg je wat!'

'Hmmm.'

'Kom je, vroeg ik.'

De borstkas van grootvader maakt een protesterend geluid, het pruttelt en piept daar binnenin.

'Niks voor mij', bromt hij.

Sarah springt op.

'Wat "niks voor mij"? Weet je wat niks voor mij is? Jouw gehoest! Jouw pokkenherrie met je stok! Jouw stomme hoed op je kop! En die televisie die voor jou altijd loeihard moet. Dat is pas niks!' Hartstochtelijk gaat ze verder: 'Wij hebben maanden geoefend! En ik mag nog wel een solo doen met Ben! En het is heus geen ketelmuziek. Trouwens, popmuziek is toch ook leuk! Jij vindt gewoon niks leuk! Jij wil alleen maar ruziemaken en mopperen! Nou, stik maar! Het kan me niet eens meer schelen of je komt! Alleen...' Ze zakt op haar stoel neer en ademt hoorbaar in en uit. 'Alle vaders en moeders komen!'

Thomas zit roerloos.

'Jij hebt nou eenmaal geen vader en moeder meer, madame.'

Grootvaders stem klinkt hard en kort over de tafel.

'Daarom wilde ik zo graag dat...'

Sarah schuift haar bord naar het midden van de tafel en staat op. Haar stoel valt om. Ze schreeuwt tegen grootvader: 'Het hoeft al niet meer! Ik zou niet eens meer willen dat je komt! Ik haat je! Als je dat maar weet!'

Er wordt niet meer over gesproken. Sarah voelt zich heel verdrietig na haar uitval, maar ze wil het er niet meer met grootvader over hebben.

'Allemaal koppigheid. De appel valt niet ver van de boom', zegt mevrouw Bloem.

Het is een raadsel hoe zij altijd weet wat er in huis gebeurt, zelfs op de dagen dat ze er niet is.

Ook Thomas zegt er niets over. Wel gaat hij nieuwe kleren kopen met Sarah. Ze weet precies in welke winkels ze wil gaan kijken. Twijfelend staat ze in de ene winkel met een strakke broek en in een andere winkel met een jurk in haar handen.

Telkens staat ze voor een spiegel en schudt haar hoofd.

Thomas is onvermoeibaar.

'Nee, die niet, Saar. Die valt niet mooi van achteren.'

Verkoopsters worden er ongeduldig van.

'Misschien een volgende keer als we de nieuwe collectie in huis hebben?' zeggen ze.

'Weer niks!' roept Sarah wanhopig.

'Winkels genoeg op de wereld, Saar. Wij zoeken net zolang totdat we iets moois hebben gevonden.'

Ze slenteren door het centrum, winkel in, winkel uit.

'Kijk daar eens!'

Sarah wijst op een etalagepop met een witte jurk.

'Die wil ik!'

Thomas fluit bewonderend.

'Jij weet wat mooi is! Kom, we gaan hem passen!'

Een poosje later komen ze naar buiten. Thomas praat druk, zijn handen dansen heen en weer. Sarah straalt. Ze draagt een grote plastic tas.

Op de dag van de muziekuitvoering kan Sarah niets eten en oefent ze tot laat in de middag. Thomas komt naar boven met een boterham en een banaan.

'Je moet echt iets eten!'

Gehoorzaam neemt ze een paar happen.

'Ik breng je straks weg.'

'Weet ik!'

'Je tante Fie komt ook.'

'Weet ik!'

'En mevrouw Bloem.'

'Ik ga me omkleden.'

De witte jurk hangt aan de deur van haar klerenkast. Sarah streelt de gladde stof. Als ze de jurk aan heeft, staat ze een moment besluiteloos voor de spiegel. Ze opent een lade in de klerenkast en vist er het kettinkje uit dat ze van grootvader heeft gekregen. Ze doet het om en laat het beurtelings op en onder haar jurk glijden. Ze kijkt in de spiegel zonder zichzelf te zien. Met een definitief gebaar laat ze het kettinkje onder de jurk verdwijnen.

'Rotvent!' zegt ze hardop. 'Het kan me geen barst schelen dat je niet komt!'

'Zal ik je haar doen?' roept mevrouw Bloem.

'Jahaaa!'

'Ga even zitten, je bent de laatste maanden zo hard gegroeid.' Ze kamt Sarahs haar. 'Hoe wil je het hebben?'

'Ik heb een spuitbus gekocht voor rode strepen. Dat moet je met de kam door mijn haar doen en daarna vlechtjes met kraaltjes maken.'

'Ik geloof nooit dat je grootvader van dat rode spul houdt.'

'Ik wel! En Thomas ook.'

'Wil jij je haar niet mooi los hebben, met gekleurde schuifspeldjes? Dat staat je zo lief!'

'Dan valt mijn haar steeds naar voren als ik speel. Ik wil vlechtjes met kralenelastiekjes!'

Het duurt lang voordat Sarah goedkeurend voor de spiegel staat.

'Echt feestelijk hoor', zegt mevrouw Bloem.

Thomas parkeert zijn auto bij de muziekschool. Hij geeft Sarah een zoen.

'Het wordt een leuke avond, dat zal je zien! Tot straks! Dag hoor!'

Hij is nog nerveuzer dan Sarah.

Ze glimlacht naar hem en gaat de muziekschool binnen.

Langs de achterwand van de hal zijn lange tafels gezet waar verschillende dranken staan uitgestald met torentjes papieren bekertjes en kopjes erbij.

Sarah gaat de trap op naar de repetitieruimten. Jongens en meisjes staan in groepjes bij elkaar en praten opgewonden. Ben is er ook. Lachend komt hij op haar af.

'Nieuwe jurk?'

'Nieuw hemd?'

Ze moeten allebei grinniken.

'Ik ben verschrikkelijk zenuwachtig, en jij?' zegt Sarah.

'Ook! Wij zijn de laatsten voor de pauze, heb je het op het bord gezien?'

'Ben en Sarah, overleg!' roept een stem.

Andere stemmen roepen andere namen af en de jongens en meisjes volgen de leraren naar de kleedkamers.

'Vergeet dat er publiek in de zaal zit', begint meneer Akkerman. 'Jullie kennen het stuk en tijdens de generale repetitie ging het prima. Waar het nu op aan komt, is dat jullie voor jezelf en voor elkaar spelen. Samen muziek willen maken, daar gaat het om. Sarah, jij volgt Ben, afgesproken?'

Ze knikken.

'Jullie hebben nog even de tijd. Zorg dat jullie klaarstaan als de kleintjes hun eindlied zingen. Tot straks!'

'Ga je mee even stiekem op het podium kijken?' zegt Ben.

Ze stommelen achter elkaar de trapjes af en staan op het toneel. De gordijnen zijn nog gesloten. Ze horen het geschuifel in de zaal van mensen die een plaats zoeken. Ben gluurt door een kier in het gordijn.

'Op de vierde rij zit mijn moeder.'

Sarah kijkt ook.

'Mmmm', zegt ze.

Haar ogen glijden langs de stoelen. Het begint al drukker te worden. Er gaat een schokje door haar heen als ze Thomas ziet zitten. En naast hem zit tante Fie en daarnaast mevrouw Bloem.

Sarah voelt dat ze vuurrood, warm en koud tegelijk wordt.

Naast mevrouw Bloem zit grootvader, statig rechtop met zijn stok voor zich.

Onwillekeurig gaat haar hand naar het kettinkje dat onder haar jurk verborgen zit. Met een vinger haalt ze het te voorschijn en laat ze het op haar jurk glijden.

'Is jouw familie er ook al?' vraagt Ben.

'Op de tiende rij zitten ze.'

Als de vloerlichten aanfloepen, sluipen ze terug naar de kleed-kamer.

'Nog één minuut', waarschuwt meneer Akkerman.

Sarah en Ben lachen nerveus naar elkaar. Ze horen het applaus dat de kleintjes krijgen. De gordijnen gaan dicht en de kleintjes verdwijnen met veel gestommel.

De vleugel wordt het podium opgereden. Toneelmeester Thijs zet hem vast. Zijn bewegingen zijn trefzeker. Met een zwaai staat de kruk voor Sarah erbij. Nog een keer heen en weer lopen en wat zwaaibewegingen maken en de muziekstandaard voor Ben staat er en de muziekboeken liggen op de juiste bladzijden opengeslagen. Meneer Akkerman geeft hen bemoedigende schouderklopjes. Sarah kijkt naar Ben. Hij houdt zijn viool in zijn linkerhand en zijn strijkstok in zijn andere. Weer lachen ze naar elkaar. Sarah verstaat maar half wat de directeur tegen de mensen in de zaal zegt, totdat ze hun namen hoort noemen.

De gordijnen gaan open en op een teken van meneer Akkerman slaat Sarah de eerste toetsen aan. Ze hoort of ziet niets anders dan Ben en vergeet waar ze is.

Ben ontlokt prachtige, warme tonen aan zijn viool. Hij laat hem afwisselend zingen en jubelen, en dan weer zachtjes wegdromen.

Ben doet het goed, voelt Sarah. Ben speelt fantastisch vanavond! Ze raakt erdoor aangestoken, en speelt vol overgave.

Als de laatste tonen wegvloeien, hoort ze boven het applaus uit Thomas roepen: 'Bravo! Bravo!'

Naast elkaar buigen ze.

'Jij was super', zegt Sarah.

'Anders jij wel!' zegt Ben.

De gordijnen sluiten zich.

'Prima gespeeld', zegt meneer Akkerman.

'Iedereen kan nu in de hal iets gaan drinken met zijn ouders, maar zorg ervoor dat je op tijd terug bent voor de finale.'

'Kind, wat enig om het hier eens allemaal te zien', roept mevrouw Bloem.

Thomas omhelst Sarah uitbundig. Tante Fie geeft haar een zoen.

'Ik zou je bijna niet meer herkennen', zegt ze. 'Je bent zo hard gegroeid! En wat is er met je haar gebeurd?'

Sarah hoort hen wel, maar het galmt in haar oren alsof ze in een zwembad is. Haar ogen zoeken grootvaders ogen. Bijna onmerkbaar knijpt hij ze even dicht.

Sarah loopt op hem toe. Een ogenblik blijven zijn ogen aan haar kettinkje hangen.

'Ik wilde de directeur eens spreken', zegt hij.

Sarah lacht.

Het is vrolijk rumoerig in de hal. Overal staan groepjes ouders en jongens en meisjes met elkaar te praten. Sarah glipt weg en gaat op zoek naar Ben.

Er staat iemand achter haar die zijn handen over haar ogen legt. Een verdraaide stem zegt: 'Raden!'

'Jij!' zegt ze en draait zich lachend om.

'Mijn moeder staat met jouw grootvader te praten', zegt Ben.

'En Thomas zeker?'

'Ik geloof dat ze alleen jouw grootvader wilde spreken.' Ben zoekt even naar woorden. 'Gaan jullie nog weg in de vakantie? Wij niet. Als je zin hebt, kunnen wij samen een keer naar het strand gaan.'

'Leuk!' zegt Sarah. 'Wij gaan ook niet weg.'

Ze weten niet waarom, maar ze lachen telkens naar elkaar. Ze zeggen zomaar zinnetjes die nergens over lijken te gaan, maar ze begrijpen na een paar woorden al wat de ander bedoelt.

'Iedereen is al naar de kleedkamer voor de finale', zegt Ben plotseling. Ze stuiven weg.

20

'Madame.'

Grootvader staat onderaan de trap. Sarah buigt zich over de leuning.

'Heb je tijd om met mij mee te gaan?'

'Waar naar toe?'

'Vertel ik je onderweg wel.'

Als ze buiten staan, moet Sarah ineens lachen.

Grootvader kijkt haar aan.

'Binnenpretjes?'

'Ik ga nooit samen met jou ergens naar toe!'

'Zo!'

Grootvader kiest een tram naar het centrum. Als ze uitstappen loopt hij doelbewust op een fietsenwinkel af.

'Wij gaan een fiets voor jou uitzoeken.'

'Een fiets? Zomaar? Of...?' Sarah lacht ondeugend. 'Of omdat ik met zo'n mooi rapport ben overgegaan?'

'Ik deel geen beloningen uit omdat jij je hersens gebruikt.'

'Waarom krijg ik dan een fiets?'

'Omdat je hem nodig hebt.'

'Thomas haalt en brengt me toch overal heen?'

'Precies. Dat is nergens voor nodig.'

Het is druk in de winkel.

'Laten we er alvast een paar bekijken', zegt grootvader.

Sarah kan niet zo gauw bedenken wat voor een fiets ze zou willen. Een fiets, denkt ze. Zomaar een nieuwe fiets? Haar hoofd bonkt ervan.

Een man met grijs haar komt met uitgestoken hand op grootvader af.

'Max! Dat is lang geleden!'

Hij schudt grootvader hartelijk de hand en pakt met zijn andere hand de arm van grootvader vast.

'Kom mee naar mijn kantoor.'

'Dit is de dochter van Paul.'

De man schudt nu de hand van Sarah en klopt op haar schouder.

Sarah volgt hun gesprek niet. Nauwelijks is ze over haar verbazing heen dat ze een fiets cadeau krijgt, of het volgende dwarrelt in haar hoofd. Hoorde ze het goed? Noemde die man grootvader Max? Ze onderdrukt een giechel. Tot vandaag heb ik niet geweten dat hij Max heet, denkt ze.

'Volgend jaar gaat ze naar de middelbare school en dan moet ze vertrouwd zijn met een fiets in het verkeer', zegt grootvader.

De man knikt instemmend.

'Heel goed, Max. Ik zal je een paar prima merkfietsen laten zien.'

'Is er nog een of andere kleur die je mooi vindt?' vraagt grootvader.

Sarah voelt haar wangen vuurrood worden.

'Zilver!'

'Ik lever elke kleur binnen een week', zegt de man.

'Laat haar maar eens een proefritje maken', zegt grootvader.

Een klein uur later verlaten ze de zaak.

'Zilver met tien versnellingen. Naar je zin, madame?'

Sarah knikt blij.

'Ik wist niet dat jij Max heette!'

'Dan weet je het nu', zegt grootvader.

Ook Thomas is verwonderd over de nieuwe fiets.

'Had je erom gevraagd?'

'Tuurlijk niet! Ik loop naar school en jij brengt me overal naar toe. Grootvader zegt dat het alvast voor volgend jaar is. En ik kan hem nu meteen in de vakantie gebruiken.'

'Ik had hem je ook graag gegeven.'

'Die man van de fietsenwinkel zei Max tegen grootvader.'

'Wist je niet dat hij zo heette?'

'Nee. Dat weet je best!'

Een week later wordt de fiets bezorgd. Sarah rijdt het eerst naar het huis van Ben.

'Ga je mee fietsen?'

'Hallo! Volgens mij komt die fiets regelrecht uit de winkel. Apart stuur, Saar!'

'Van mijn grootvader gekregen.'

'Jij boft! Thomas en je grootvader kopen alles voor je!'

'Ik bof zeker!' zegt ze.

Die zomervakantie maakt Sarah fietstochten met Ben. Ze trekken kriskras door de stad en racen over de fietspaden in de duinen. Ze gaan ook samen naar het strand en slenteren langs de vloedlijn. Hun blote voeten spatten in het bruisende zeewater. Als de rij bunkers in zicht komt, vertelt Sarah zomaar aan Ben wat er gebeurde op de dag dat haar vader werd begraven. Als ze erover praat, voelt ze dat er tranen in haar ogen komen.

'Was je niet bang in die bunker?'

Sarah schudt haar hoofd.

'Ik was er al vaker met mijn vader geweest.'

'Maar die keer was je alleen.'

'Als je ergens bang voor bent, moet je diep ademhalen of gaan tellen.'

'Tellen?'

'Als je langzaam telt, ben je opeens niet meer bang. En als je telt tussen de bliksem en de donder als het onweert, weet je ook meteen of het onweer dichterbij komt of niet.'

Ben slaat onverwachts zijn armen om Sarah heen en geeft haar een zoen.

'Ik vind je zo lief en ook zo... dapper!'

Sarah zoent hem terug.

'Ik vind jou gewoon de leukste jongen die ik ken!' zegt ze.

Sarah laat aan Thomas de foto zien die van haar en Ben is gemaakt tijdens de muziekuitvoering.

'Staan we duidelijk op, hè? Ik zet hem op mijn kastje. Ben zei ook al...'

'Het is Ben voor en Ben na de laatste tijd. Je lijkt wel verliefd op die Ben!'

Sarah weet niet wat ze moet zeggen. Dan lacht ze hard, veel harder dan anders.

'Doe niet zo gek, Thomas!' zegt ze.

21

Sarah en Ben brengen veel van hun vrije tijd in de muziekkamer door. Niet eens altijd om muziek te maken. Soms zitten ze lekker te kletsen of dromen ze samen weg voor de grote vensters.

'Ben je nog vaak verdrietig om je vader?' vraagt Ben.

'Soms. Dan mis ik hem opeens heel erg.'

Ze zitten dicht tegen elkaar en houden elkaars hand vast.

'En altijd merkt Thomas het. Dan is hij nog liever dan anders voor me.'

'Lijkt hij op je vader?'

'Van buiten wel, maar verder helemaal niet.'

'Praat je wel eens met Thomas of je grootvader over je vader?'

'Nooit.'

'Waarom niet?'

'Dat kunnen ze niet.'

Thomas krijgt veel aanvragen om feestavonden te verzorgen. Hij heeft een groep jongens om zich heen verzameld die hem helpen de apparatuur te versjouwen en aan te sluiten.

In het souterrain hangt een sfeer alsof er altijd iets te vieren valt. Daar zijn de nieuwste cd's te horen, spelen jongens gitaar of roffelt iemand een oorverdovende solo op het drumstel.

'Dat zou ik ook wel eens willen', zegt Ben.

'Moet je doen', zegt Thomas. 'En als je wilt helpen op de avonden ben je dubbel welkom!'

Ook Sarah is steeds vaker beneden te vinden. Eerst uit protest tegen grootvader omdat ze voelt dat hij liever heeft dat ze er wegblijft. Maar de belangrijkste reden dat ze telkens gaat, is Ben. Ze dansen er samen en dat vindt ze het allerleukst.

Grootvader vindt het allemaal maar niks. Het regent briefjes, merkt Sarah. Ze leest ze automatisch; het is een vaste gewoonte

van haar geworden. Soms is ze de zinnen na enkele minuten vergeten. Sinds *Thoros* gaan de meeste ruzies tussen grootvader en
Thomas over de herrie en de rotzooi die de jongens maken, weet
ze uit de briefjes.
Grootvader schijnt zich erg kwaad te maken. Hij schrijft over *politie inlichten* en gebruikt uitdrukkingen zoals *het hele zootje de
deur uitflikkeren.*
Sarah maakt zich steeds vaker zorgen om grootvader en Thomas. Waarom kunnen ze nu niet gewoon tegen elkaar doen?

'Thomas, waarom hebben jij en grootvader ruzie?'
'Hebben wij ruzie, Saar? We praten nauwelijks tegen elkaar!'
Sarah voelt zich ongemakkelijk worden. Ze kan onmogelijk
zeggen dat ze de briefjes in zijn prullenbak leest.
'Ik voel toch dat het niet goed zit tussen jullie.'
'We zijn kwaaie vrinden.'
Als Sarah haar wenkbrauwen optrekt, legt Thomas het uit.
'Kwaaie vrinden wil zeggen dat je boos bent op elkaar, maar
dat je voelt dat je toch van elkaar houdt.'
'En komt het dan op een keer goed?'
'Vast en zeker.'
'Waarom nu niet?'
'O, Saar, jij met je eeuwige waarom!'
'Dan niet!' zegt ze.

'Thomas!' roept Ben op een keer. 'Je moet Sarah eens dj laten zijn!'
De andere jongens lachen instemmend.
'Niks voor mij', lacht Sarah.
Thomas geeft haar een microfoon.
'Probeer eens, Saar! Verzin maar wat!'
Sarah wordt overmoedig door de vrolijkheid van de anderen en
roept: 'Het volgende nummer gaat over de liefde, zoals de meeste
mooie liedjes over de liefde gaan! Vanaf hun eerste single was het
duidelijk dat *The Twisted Minds* niet meer weg te denken zouden

zijn in de popmuziek! Niet voor niets ontvingen zij een gouden cd! Luister naar één van de grootste hits aller tijden *Come back my love* van... *The Twisted Minds!*'

De jongens juichen en klappen in hun handen en Ben roffelt een solo.

Als ze die avond aan tafel zitten zegt Sarah: 'Thomas, ik zou wel een keertje mee willen naar zo'n avond als jij de muziek verzorgt.' Ze giechelt. 'En een poosje dj zijn, natuurlijk!'

Grootvader gooit zijn mes en vork neer.

'Zet dat maar uit je hoofd!'

Sarah is verbaasd. Ze is er zo aan gewend geraakt om met Thomas te praten met een zwijgende grootvader erbij.

'Ik mag toch wel eens naar een feest!' roept ze.

Grootvader schudt driftig zijn hoofd.

'Niks ervan! Dat zal Thomas je wel weer ingefluisterd hebben! Laat die maar feestvieren met zijn kornuiten, maar ik verbied jou om daaraan mee te doen!'

Hij praat tegen Sarah alsof Thomas er niet bij is.

'Godgloeiend!' roept Thomas. 'Houdt het dan nooit op!'

Hij schuift zijn stoel achteruit en beent met grote passen de kamer uit.

'Waarom wil je altijd alles verpesten voor Thomas en mij?' schreeuwt Sarah. 'Je hebt niets over me te vertellen!'

Grootvader slaat met zijn vlakke hand op tafel.

'Zolang je onder mijn dak woont, maak ik de dienst uit! En zolang ik bepaalde feesten ongeschikt vind, ga jij daar niet heen! Basta!'

Sarah hoort zijn laatste woorden al niet meer. Ze heeft de kamerdeur met een knal achter zich dichtgetrokken.

Thomas staat in de keuken met zijn rug tegen het aanrecht.

Sarah loopt naar hem toe en slaat haar armen om zijn hals. Ze ruikt zijn bodylotion en snuift de geur behaaglijk op.

'Ik snap het niet. Waarom doet grootvader toch zo rot tegen jou?

En wat heeft hij tegen feestjes? Ik ben toch geen klein kind meer?'
De ogen van Thomas dwalen onrustig door de keuken.
'Ik moet er even uit', fluistert hij.
Op hetzelfde moment is hij verdwenen.
Even later hoort Sarah hem in de tuin zijn motor starten.

22

Ben is jarig. Hij heeft een aantal vrienden uitgenodigd en vanzelf-sprekend ook Sarah. Ruim een uur te vroeg staat Sarah klaar. Ze heeft glittertjes op haar wangen gedaan en haar nagels in dezelf-de tint blauw gelakt als haar spijkerbroek.

Als grootvader haar in de hal ziet, zegt hij spottend: 'Denk je dat je mooier wordt met die troep?'

Sarah geeft geen antwoord en gaat de trap op.

'Prachtig, Saar!' roept Thomas. 'Die glitters doen het heel goed!'

'Grootvader vindt het troep.'

'Jij zegt altijd tegen mij dat je zelf moet weten wat je doet.'

Sarah lacht.

'Ik vind het mooi', zegt ze.

Ben heeft de garage van zijn ouders versierd met maskers en bal-lonnen en heeft er zijn cd-speler geïnstalleerd. Ze doen malle spelletjes waar veel en uitbundig om wordt gelachen. Sarah en Ben willen graag dansen en later op de avond klinken er alleen cd's waarop ze kunnen slowen.

'Was het een leuk feest?' vraagt Thomas.

'Mmmm.'

'Was het niet leuk?'

'Ik weet het niet. Het was er best leuk, maar er was iets. Zijn moeder keek af en toe heel kattig naar me.'

'Zijn moeder keek kattig naar jou? Weet je dat wel zeker, Saar?'

Als Sarah een paar dagen later onverwachts langs Ben gaat, doet zijn moeder open.

'Ben is niet thuis', zegt ze. 'Dat komt goed uit! Ik wil je wel eens onder vier ogen spreken.' Ze loopt met kleine pasjes voor Sarah uit. 'Het lijkt mij beter als jullie niet meer met elkaar omgaan', zegt ze zonder enige inleiding.

Sarah schrikt zo hevig dat het haar moeite kost om iets te zeggen.

'Waarom?' fluistert ze.

'O, niet voor jou, hoor. Ik vind je best een aardig meisje, maar die oom van je!'

'Mijn oom?'

De moeder van Ben wordt ongeduldig. In haar hals verschijnen rode vlekken.

'Houd je niet van den domme', valt ze fel uit. 'Dat gedoe bij jullie in het souterrain. Ik wil niet dat mijn zoon bij zoiets betrokken is! En ik wil ook absoluut niet dat hij nog meegaat naar die zogenaamde feestavonden. Het is een schande!'

Sarah krijgt haar spraak terug.

'Schande? Waar heeft u het over? De feestavonden van Thomas zijn hartstikke tof! Dat vindt iedereen!'

'Jaja! Zo'n man als jouw oom hoort niet met kinderen in aanraking te komen! En volgens mij gebruikt hij jou om jongens naar zich toe te lokken.'

Sarahs mond en lippen worden kurkdroog. Verbijsterd kijkt ze naar de moeder van Ben.

'U bent stapelgek geworden!'

Binnen enkele tellen staat Sarah buiten. Ze haalt haar fiets van slot en racet de straten door totdat ze buiten adem is. Ze koerst naar de kust. Hijgend bereikt ze de duintop vanwaar ze de bunker kan zien. Sarah zet haar fiets tegen de afrastering van prikkeldraad en ploft op een bank neer. Ze is bezweet en haar hart klopt heel snel. Urenlang staart ze naar de bunker totdat haar hersens moe van het denken zijn.

Op de muziekschool probeert ze Ben te ontlopen.

'Wat heb jij?' vraagt hij.

'Niks.'

Ben kijkt haar onderzoekend aan.

'Vertel op! Wat is er? Gedonder met je grootvader?'

'Niks.'

'Heeft mijn moeder soms jouw grootvader opgebeld?'

'Hmmm.'

'We zijn toch vrienden?'

Sarah haalt diep adem.

'Ik was donderdag langs jouw huis gegaan en toen zei jouw moeder dat Thomas uit de buurt van kinderen moet blijven. En dat het een schande is! En dat jij ook niet meer mag helpen met de feestavonden. Alsof Thomas een vuile kinderlokker is! Die is pas maf, die moeder van jou!'

Tranen van woede springen in haar ogen.

Ben blaast zijn wangen bol.

'Ik word doodziek van dat wijf!'

Hij slaat een arm om de schouders van Sarah.

'Weet je hoe het gekomen is? Ik heb thuis verteld hoe leuk het is bij jullie in het souterrain en als ik met Thomas meega. En dat heeft mijn moeder weer aan een vriendin verteld. En dat wijf heeft mijn moeder gek gemaakt door te zeggen dat Thomas vast een pedofiel is.'

'Wat een gek, zeg! Hoe komt ze erbij?'

'Ik heb geprobeerd mijn moeder duidelijk te maken dat Thomas een homo is en geen pedofiel, maar dat maakt voor haar geen verschil. Zo denken heel veel mensen van haar generatie. En jouw grootvader helemaal natuurlijk, die is nog ouder!'

Sarah bijt op haar lip. Thomas homo?

Koortsachtig vlechten haar hersenen opmerkingen die ze niet kon plaatsen met de vele vragen van de afgelopen maanden door elkaar. Binnen enkele seconden vallen puzzelstukjes op hun plaats. Glashelder herinnert ze zich de toespelingen van mevrouw Bloem, de fragmenten van briefjes van grootvader en zijn onbegrijpelijke opmerkingen op die eigenaardige toon en ook de uitspraken van Thomas zelf.

Ze denkt aan die keer toen zij bij Thomas op schoot zat en samen met hem naar een nieuwe cd luisterde. En Thomas vertelde waar de muziek over ging.

'Over dromen! En over liefde!'

'Zoals een jongen en een meisje die op elkaar zijn?'

'Of twee jongens die van elkaar houden.'

Ben kijkt haar aan.

'Wist je het niet? Ik dacht... Schrik je ervan, Saar?'

Thomas homo?

Sarah probeert haar onwetendheid te verbergen. Het lijkt ineens zo onnozel dat ze het niet eerder heeft begrepen.

'Ik wil weten waarom die wijven zeggen dat Thomas een pedofiel is', zegt ze.

'Dom gelul! Omdat ze zogenaamd bezorgd zijn om hun kinderen. Mijn moeder heeft zelfs naar jouw grootvader gebeld. En die veegt ook homofielen en pedofielen op een hoop. Allemaal tuig van de richel, volgens jouw grootvader. Het is niet zo gek als je bedenkt dat er in hun jeugd nooit over seks werd gesproken. En het woord televisie kenden ze niet eens.'

Sarah haalt opnieuw diep adem en zegt zo luchtig mogelijk: 'Heeft Thomas wel eens geprobeerd om jou te versieren?'

'Nee!'

'Heeft een van de andere jongens wel eens iets over Thomas gezegd?'

'Alleen dat ie...'

'Wat? Heeft hij wel eens iemand lastig gevallen?'

'Nee, Saar, maar we hebben het er vanzelfsprekend wel over gehad. Niks bijzonders, gewoon dat Thomas een homo was. Verder niks!'

'Daar heb ik nooit iets van gemerkt.'

'Jongens zeggen zoiets misschien eerder als ze onder elkaar zijn.'

Sarah bijt weer op haar lip.

'Die stomme rotwijven met hun geroddel! Is het nu uit tussen ons? Ik bedoel, kom je niet meer bij ons thuis?'

'Waar zie je me voor aan?' zegt Ben.

Hij slaat zijn armen om haar hals en geeft Sarah een zoen, en nog een.

'Mijn moeder zeurt wel enorm aan mijn kop, maar ik doe toch wat ik zelf wil', zegt Ben.

23

Nu Sarah de reden kent van grootvaders houding naar Thomas, wil ze des te meer uitpluizen wat het is dat Thomas grootvader niet kan vergeven. Als ik eens wist wat er op de briefjes staat die Thomas aan grootvader schrijft, denkt ze. Ze moet het te weten komen, voelt ze. Dan kan ze er met allebei over praten. Desnoods biecht ik eerlijk op dat ik stiekem de briefjes heb gelezen, denkt ze. En daarna moet het voor altijd goed komen tussen hen.

Ze wacht een moment af waarop ze alleen in huis is en gaat op zoek in de kamer van grootvader. Zijn bureau zit op slot en er ligt niets in de prullenbak. Ze zoekt in zijn klerenkast, maar ze vindt niets. Teleurgesteld gaat ze naar haar kamer.

Een paar dagen later, als grootvader in de badkamer is, probeert ze het opnieuw. Deze keer is het bureau niet afgesloten. Haastig opent ze deurtjes en laden. Als ze een lade propvol briefjes treft, weet ze dat dit is wat ze zoekt. Haar ogen vliegen over de regels. Haastig pakt ze het ene na het andere briefje. De meeste briefjes bestaan uit een enkele zin! Gulzig leest ze.

Vader, dat u zo dom praat!
Bent u Max vergeten?
Voor de honderdste keer: ik heb nog nooit een kind aangeraakt!
Wat een vader, die zijn zoon doodzwijgt!

Die laatste zin leest ze een paar maal over. Bedoelt Thomas daar haar vader mee, of zichzelf?
Met een dikke keel leest ze

Alsjeblieft, neem mij Sarah niet af!

Sarah kan bijna niet stoppen. Al roepen de briefjes meer vragen op dan dat ze antwoord op haar vragen geven. Pas als ze grootvader de badkamer hoort uitkomen, schuift ze snel de lade dicht en sluipt met dieprode wangen en een bonkend hart de trap op.

Deze keer kiest Sarah zorgvuldig het tijdstip dat ze bij mevrouw Bloem de keuken binnenloopt. Grootvader en Thomas zijn niet thuis en de stofzuiger zwijgt al een hele poos. Op zo'n moment is mevrouw Bloem bezig met koken of staat ze te strijken en heeft ze alle tijd voor een babbeltje tussendoor.

'Jij komt vast voor wat lekkers. Wat denk je van een kop chocola met slagroom? Daar kikker je van op. Je ziet zo witjes de laatste dagen. Maak jij je niet te druk om die toetsen en proefwerken op school?'

Sarah lacht vriendelijk.

'Ik vind juist dat Thomas er slecht uitziet.'

'Wat wil je? Hij is altijd maar op stap. En dat gedonderjaag met je grootvader gaat hem niet in zijn kouwe kleren zitten. Die twee doen in koppigheid niet voor elkaar onder.'

'Ik geloof niet dat het alleen maar koppigheid is', zegt Sarah.

Ze kijkt mevrouw Bloem aan met haar je-snapt-toch-wel-waar-ik-het-over-heb-glimlach. Ze voelt haarscherp aan welke uitwerking die lachjes hebben op mevrouw Bloem.

Als ze ziet dat mevrouw Bloem vol overtuiging knikt, gaat Sarah een stap verder.

'Volgens mij heeft grootvader het nooit kunnen accepteren dat Thomas homo is.'

'God, kind! En dat flap jij er zomaar uit! Ja, dat is zo. Daar heb je gelijk in. Wat zijn jullie toch vroeg wijs tegenwoordig. Weet je dat ik voor mijn twintigste jaar nog nooit van een homofiel had gehoord? Met de televisie is er wel veel veranderd op dat gebied.'

'En Thomas', zegt Sarah. Ze is bang dat het gesprek op televisie en vroeg wijs zijn blijft hangen. 'En Thomas kan grootvader niet vergeven...'

Ze zwijgt en hoopt dat mevrouw Bloem de zin afmaakt.

Mevrouw Bloem zucht diep en schudt haar hoofd.

'Ik ben er nooit achter gekomen of Thomas het hem niet heeft kunnen vergeven dat hij ooit vreemd is gegaan, of dat het was om het verdriet dat mevrouw ervan had. Paul en Thomas waren allebei stapelgek op hun moeder.'

'En ze haatten natuurlijk die andere vrouw', gokt Sarah snel.

'Dat kun je wel zeggen! Dat op zich is niet zo gek! Ik heb nog nooit iemand ontmoet die Trudie aardig vindt. Zelfs je grootvader heeft volgens mij een hekel aan haar.'

Sarah doet haar uiterste best om niets van haar verbazing te laten merken. Trudie? Tante Trudie en grootvader?

Ze slikt.

'Waarom blijft ze dan hier komen?'

'Het verdriet om Max! Het is en blijft verschrikkelijk om een kind in een verkeersongeluk te moeten verliezen. Ik denk dat je grootvader het als een straf van boven heeft ervaren. En we vonden het allemaal vreselijk, want het was zo'n sympathieke jongen. Sprekend je grootvader! Als je alleen al die zwarte ogen zag.'

Max? Zwarte ogen? De jongen met de zwarte ogen! De foto op het bureau van Thomas!

Gedachten buitelen over elkaar in het hoofd van Sarah.

De doos met foto's van Thomas... De foto van Max Koolmees in de doos... De hevige hoestbui van grootvader toen... De eigenaardige toon waarop Thomas sprak...

Mevrouw Bloem merkt niets van haar verwarring.

Zo rustig mogelijk zegt Sarah: 'Ik wil dat het voor altijd goed komt tussen grootvader en Thomas!'

'Volgens mij zit er onder de boosheid van die twee zoveel liefde', zegt mevrouw Bloem. 'Het klinkt misschien gek, maar soms kunnen mensen ook te veel van elkaar houden. Dan is er geen ruimte meer voor...' Ze onderbreekt zichzelf. 'Nu moet mijn hartige taart heel vlug de oven uit, anders verbrandt hij.'

24

Sinds het laatste gesprek met mevrouw Bloem lossen de raadsels zich langzamerhand op voor Sarah. Ze doorziet de hatelijkheden tussen grootvader en Thomas en begrijpt de briefjes beter. De opmerkingen van grootvader zijn nu helder voor haar. Zelfs zijn hoestbuien denkt ze te begrijpen. Ze vindt het heel raar dat ze er zo kort geleden niets van snapte.

Sarah wil er eerst met Thomas over praten. Ze wil hem zeggen dat ze het weet en dat ze van hem houdt. En ze heeft Thomas zoveel te vragen.

'Thomas, heb je even tijd? Ik wil met je praten.'

Hij lijkt te schrikken als hij haar aankijkt.

'Waarover, Saar?'

'Over jou. En over grootvader. Ik weet alles!'

Thomas lacht net iets te luid.

'Een dame wil mij spreken? Altijd goed, Saar. Alleen zal er deze week niets van komen, ik heb het razend druk.'

'Je kunt er best met mij over praten, ik ben al bijna twaalf!'

Het gezicht van Thomas wordt bleek.

Sarah wil zeggen dat hij zich geen zorgen hoeft te maken, dat er nooit iets tussen haar en hem kan komen, maar ze weet niet zo snel de goede woorden te verzinnen.

Thomas springt op.

'Ik moet nu weg, schat!'

Voordat ze nog iets kan zeggen, is hij verdwenen.

Het komt wel goed, denkt ze.

Grootvader heeft last van slapeloosheid en staat heel vroeg op. Hij heeft gezondheidssandalen aangeschaft en begint de dag met de lange gang vele malen op en neer te lopen. Hij maakt veel kabaal op de marmeren tegels; het geklepper van de houten sandalen wordt begeleid door het tikken van zijn stok.

Thomas, die de laatste weken pas laat in de nacht thuiskomt, vloekt en roept vanuit zijn slaapkamer dat hij rust wil.

Grootvader heeft vooral 's ochtends hevige last van zijn doofheid en reageert niet op Thomas.

'Wandel je niet liever in de tuin?' zegt Sarah. 'In de gang is het zo'n herrie. Thomas kan geen oog dichtdoen.'

Grootvader grinnikt.

'Heeft ie er last van? Moet hij maar op een normale tijd naar zijn bed gaan, dan kan hij gelijk met mij opstaan.'

Van de weeromstuit doet Thomas niet zacht als hij thuiskomt. Hij doet overal licht aan en brengt soms muzikanten mee die in het souterrain gaan spelen alsof het klaarlichte dag is.

Het lijkt alsof het hele gedoe grootvader niet deert, maar bij Thomas is dat anders. Hij wordt merkbaar zenuwachtiger en is steeds minder de vrolijke, stralende man die hij vroeger was.

Als Sarah zijn werkkamer inloopt, zit hij met zijn hoofd gesteund door beide armen aan zijn bureau. Het is zo'n moedeloze houding dat ze een moment doodstil naast zijn stoel blijft staan. Ze kijkt naar zijn kruin. Vanaf de haarwortels ziet ze millimeters grijs haar dat in bruin haar overgaat. Al vaak heeft ze anderen horen fluisteren dat Thomas zijn haar verft en pas op dit moment gelooft ze het. Zijn huid is grauw en zijn bruine ogen zijn mat.

Sarah legt een arm om zijn hals en met haar wang tegen zijn wang zingt ze zacht: *Er was eens een juffrouw in Zaltbommel...*

Een glimlach glijdt over zijn gezicht.

'Schat van me', zegt hij.

Ze gaat dicht bij Thomas zitten en streelt zijn handen.

'Kunnen we nu even samen praten?'

'Ander keertje.'

'Wil je thee?'

Thomas knikt.

Sarah zet thee in de keuken en neemt alles op een dienblad mee naar boven.

Ze schenkt de bekers vol zoals Thomas het altijd doet; steeds hoger houdt ze de theepot zodat een lange straal de bekers vult. Ze kunnen er deze keer geen van tweeën om lachen.

De volgende middag onderbreekt Sarah ineens haar huiswerk en pakt ze de telefoon.
'Kindertelefoon', zegt een stem.
'Waar wil je over praten?'
'Over mijn grootvader en mijn oom. Die zijn kwaad op elkaar.'
'En dat vind je naar?'
'Ik woon bij ze.'
'Vechten ze met elkaar of blijft het bij schreeuwen?'
'Ze hebben nog nooit gevochten en ze praten zelfs bijna nooit tegen elkaar, maar je voelt dat het steeds erger wordt.'
'Weet je waarover het gaat?'
'Mijn oom is homo en dat vindt mijn grootvader vreselijk. Hij maakt er vaak toespelingen op.'
'Dat lijkt me erg voor jou.'
'Het is erg voor Thomas! En die pest terug door opmerkingen te maken over een onechte zoon van grootvader.'
'En die zoon speelt ook een rol tussen hen?'
'Die is dood.'
'Wat een ingewikkelde toestand! Waarmee kan ik je helpen, denk je?'
'Ik wil dat het goed komt.'
'Dat zal niet makkelijk gaan, zeker niet als het al zo lang speelt. Kies jij voor een van beiden partij? Of, laat ik het zo vragen, ben jij het meer met de een dan met de ander eens?'
'Thomas is de liefste, maar ik hou ook wel van grootvader.'
'Is het zo erg dat je niet meer bij hen wilt wonen?'
'O nee! Ik wil nergens liever wonen, maar soms ben ik het zo zat dat ik weg wil.'
'Heb je er wel eens met ze over gesproken?'
'Thomas zegt dat ze niet echt ruzie hebben en wil verder nergens over praten. En grootvader geeft niet eens antwoord als ik

113

hem wat vraag. Hij is ook stokdoof, hoor!'

'Heb je er wel eens over gedacht om ze beiden hetzelfde briefje te sturen? Een briefje waarin je zegt dat de situatie jou verdrietig maakt? Is dat een idee, denk je?'

'Misschien.'

Meteen na het telefoongesprek begint Sarah briefjes te maken, maar het wil niet goed lukken.

De brief moet zo geschreven zijn dat alles in een keer goed komt, denkt ze.

Als ze eindelijk een brief af heeft en hem overleest, vindt ze hem slecht en verscheurt ze hem.

25

Het vriest ruim een week. Op de vijvers in het park wordt al geschaatst. Een gure oostenwind houdt vandaag de mensen in huis die niet per se ergens naar toe moeten. Sarah zit met grootvader en Thomas in de huiskamer. Het hout in de open haard knettert en er springen vonken af.

'Ik heb de foto van Ben en mij terug', zegt Sarah. Ze toont hem aan Thomas. 'Mevrouw Bloem vond hem in het souterrain. Ik heb geen idee hoe hij daar is gekomen.'

'Ik wist niet dat je hem kwijt was.'

'Wel waar! Jij hebt nog mee gezocht!'

Sarah bekijkt de foto. 'Leuk was dat, hè, Thomas, toen Ben en ik samen speelden.'

'Hmmm', doet Thomas.

'Ik heb al sinds vrijdag niets meer van hem gehoord', zegt Sarah. 'En hij zou nog bellen als hij ging schaatsen.' Dromerig kijkt ze naar de foto. 'Ben is echt de leukste jongen die ik ken.'

'Saar, schei uit! Ben is best een aardige jongen, maar jij doet net alsof hij de enige jongen op de wereld is. Ik zou het beter vinden als je ook eens met andere jongens en meisjes optrok.'

Sarah kijkt Thomas aan.

'Ik dacht dat jij Ben ook leuk vond?'

Thomas verschuift zijn stoel.

'Aardig. Een aardige jongen zoals er dertien in een dozijn gaan. Het hindert me dat jij over geen enkele andere jongen kunt praten.'

Nog nooit hoorde Sarah Thomas zo praten. Haar gezicht wordt stil.

'Jij zei zelf een paar weken geleden nog...'

'Ik bedoel dat jij je aandacht ook eens op anderen moet richten. Je doet wel erg dweperig met Ben! En dat je niets van hem hoort, betekent misschien dat hij ook wel eens met iemand anders wil optrekken.'

'Lieve oom ontpopt zich tot valse nicht! Jongen blijft weg omdat oom zijn poten niet kan thuishouden!'

Grootvaders stem klinkt luid achter de opengeslagen krant. Het lijkt alsof hij een bericht voorleest.

Thomas wordt lijkbleek. Razendsnel komt hij overeind. In een paar stappen is hij bij de tafel en slaat de krant uit de handen van grootvader.

'Deze keer ga je echt te ver, vader!'

Onmiddellijk krijgt grootvader een hevige, benauwde hoestbui.

Sarah kijkt onthutst naar Thomas.

'Kun je niet tegen de waarheid?' rochelt grootvader.

'Jouw waarheid is niet de waarheid!'

'Mijn kleindochter wordt niet onder mijn ogen belazerd. Knoop dat heel goed in je oren!'

Plotseling staat Sarah tussen hen in.

'Maken jullie ruzie om mij? Hou op, alsjeblieft! Ik houd van jullie allebei!'

'Als jij je lieve oom doorhad, was het snel over met je liefdesbetuigingen', zegt grootvader.

Hij ademt met zijn mond open.

'Laat Sarah erbuiten. Ik waarschuw je!'

De stem van Thomas klinkt dreigend.

Grootvader richt zich op en grijpt zijn stok.

'Heb jij het lef om mij te waarschuwen? Het wordt hoog tijd dat ik de politie eens inlicht.'

'Daar dreig je al zo lang mee! Doe wat je niet laten kunt! Ik...'

Thomas maakt zijn zin niet af. Met grote stappen verdwijnt hij naar het souterrain. Sarah holt hem achterna. In de tuin houdt ze hem tegen.

'Niet weggaan, Thomas!'

Hij kijkt langs haar heen.

'Laat me', mompelt hij.

'Ik wil met je mee!'

Thomas schudt zijn hoofd en rukt zich los.

Een paar minuten later hoort ze zijn motor aanslaan. Met gillende banden rijdt hij weg.

Ontdaan gaat Sarah terug naar de huiskamer. Ze kijkt woedend naar grootvader. Het is zijn schuld! Hij begon met rotopmerkingen te maken, zoals altijd.

Sarah hoort het benauwde piepen van grootvaders ademhaling.

'Ik zei het voor jouw bestwil, madame.'

'Mijn bestwil? Dat geloof je toch zelf niet! Thomas net zolang pesten totdat hij er stikverdrietig van wordt en dan zeggen dat het voor mijn bestwil is?'

'Het is zijn schuld dat jouw vriendje wegblijft.'

'O ja? Zeker omdat hij volgens jou niet van kinderen kan afblijven! Is dat wat je wil zeggen? Of zou het door het geroddel van Bens moeder en jou komen?'

'Jij wilt geen kwaad woord over Thomas horen!'

'Geen leugens wil ik horen! Jij weet, geloof ik, niet eens het verschil tussen een homofiel en een pedofiel. Dat had je eens in je moeilijke boeken moeten opzoeken in plaats van met Bens moeder te roddelen. Bah! Roddelen, dat is pas gemeen! Daar maak je iemand kapot mee!'

Sarah hapt naar adem.

Grootvader verschuift ongemakkelijk in zijn stoel.

'Thomas is in ieder geval niet normaal!'

'Gelukkig ben jij wel normaal, he? Zullen we het eens over jou en tante Trudie hebben?'

Sarah staat op en loopt naar de gang.

'Mag ik je dat uitleggen?' roept grootvader.

'Nu ben ik eens doof!'

Sarah slaat woedend de deur achter zich dicht.

Lange tijd zit ze boven. Pianospelen lukt niet, lezen evenmin. Ze staart naar buiten, maar ziet niets.

De bel rinkelt hard in het trappenhuis. Sarah springt overeind en stuift de trappen af. De bel rinkelt voor de tweede keer als ze de huisdeur opent.

Op de stoep staan twee politieagenten. De langste van de twee bestudeert met een ernstig gezicht een rijbewijs.

'Is dit het woonadres van Thomas Rosenthal?' vraagt hij plechtig.

Sarah rilt onwillekeurig.

De stem van grootvader klinkt achter haar.

'Komt u verder, heren.'

De lange agent overhandigt grootvader het rijbewijs.

'Thomas Rosenthal, geboren op 13 april 1960?'

Grootvader staart naar de pasfoto.

Het is doodstil in het vertrek. De agenten kijken elkaar ongemakkelijk aan.

'Zo jong nog, het is geen leeftijd', zegt de lange agent.

Ongelovig schudt grootvader zijn hoofd.

'Hoe is het gebeurd?' vraagt hij. Zijn stem is schor.

Voor het eerst doet de andere agent zijn mond open.

'Geslipt. Het vriest behoorlijk en bij de viaducten en bruggen is het spekglad. Bovendien reed hij met veel te hoge snelheid. Hij was op slag dood.'

Het bloed suist in Sarahs oren. Ze kan de agenten niet meer verstaan. Als een houten pop loopt ze de trap op en laat zich boven op haar bed vallen.

'Het is niet waar', fluistert ze.

Die ene zin blijft zich in haar hoofd herhalen.

Grootvader staat op de drempel.

Met een ruk draait Sarah zich naar de deuropening.

'Het is jouw schuld! Jij zei dat hij een valse nicht was en dat hij zijn poten niet kon thuishouden! En hij had je al honderd keer gezegd dat hij nog nooit een kind had aangeraakt! Het is jouw schuld!'

Grootvader probeert een hoestbui te onderdrukken, maar dat lukt niet. Hij schraapt zijn keel.

'Die agenten vertelden dat ze Thomas naar het ziekenhuis hebben gebracht. Zullen we er samen heen gaan en regelen dat hij naar huis komt?'

'Ik wil niks samen met jou! Ga maar alleen naar hem toe! Ik hoef hem niet te zien! En met jou wil ik nooit meer iets te maken hebben! Rot op uit mijn kamer!'

Ze duwt grootvader met twee handen naar de gang en sluit de deur.

Uren lossen zich op alsof er nooit tijd heeft bestaan. Sarah zit in de muziekkamer, maar raakt de piano niet aan. Ze heeft het gevoel alsof ze nooit meer muziek zal kunnen maken.

Alles in huis ademt anders. Een onwerkelijke stilte schreeuwt haar vanuit alle hoeken van het huis toe. Geluiden zijn zomaar verdwenen. Er klinkt geen muziek uit de kamer van Thomas. De telefoon rinkelt niet en het souterrain is uitgestorven. Grootvader heeft zijn ochtendwandelingen op de marmeren tegels gestaakt.

Het huis is kaal en koud geworden in nauwelijks vierentwintig uur.

Mevrouw Bloem brengt lekkere hapjes bij Sarah.

'Probeer het, lieverd!'

'Ik heb geen trek.'

'Ben je nog steeds niet in de serre bij Thomas geweest?'

Sarah schudt haar hoofd.

'Hij ligt er zo mooi bij. Zelfs veel beter dan hij er de laatste tijd uitzag.'

Met een schok herinnert Sarah zich iets.

'Wat heeft hij aan?'

'Wat bedoel je, lieverd?'

'Wat heeft Thomas aan in de kist?'

Voordat mevrouw Bloem iets kan zeggen, weet Sarah het antwoord al.

119

'Een pyjama natuurlijk', zegt mevrouw Bloem.

'Met strepen?' fluistert Sarah.

'Ja. Een sjieke hoor! Echt iets voor Thomas.'

Sarah stormt grootvaders kamer binnen.

'Ik ben zo kwaad op je!' bijt ze hem toe. 'Thomas heeft een pyjama aan! Wist je niet dat hij dat vreselijk vond? Een pyjama! Een pyjama met strepen!'

Ze slikt.

'Ik had Thomas nog zo beloofd...'

Tranen springen in haar ogen.

'Sarah...', begint grootvader.

Driftig loopt ze weg. Pas dan dringt het tot haar door dat hij haar voor het eerst bij haar naam heeft genoemd.

26

Ben komt langs.

'Heb je zin om langs het strand te lopen, Saar?'

Ondanks de harde oostenwind lopen ze naar het havenhoofd. Met hun haren verward door de wind en hun hoofden dicht bij elkaar, staren ze naar de witte schuimkoppen die tegen de dikke muur uiteenspatten.

'Het is misschien wel door mijn moeder gekomen', zegt Ben zacht.

'Ze bleef maar telefoneren naar jouw grootvader. En ze heeft een paar dagen geleden zelfs Thomas opgebeld en hem de huid vol gescholden!'

'Bleef je daarom weg?'

'Ik ben niet weggebleven, ik heb buikgriep gehad.'

'Ja hoor! Zo erg dat je niet kon bellen?'

'Bellen gaat niet makkelijk met mijn moeder in de buurt.'

'Dom rotwijf!'

'Klerewijf!' zegt Ben hartgrondig.

De zee raast. Huiverend staan ze in de gure wind. Hun gezichten zijn rood en strak van de kou.

'Hoe is het nu tussen jou en je grootvader?'

'Die kan lang wachten voordat ik wat tegen hem zeg.'

'Weet je nog hoe erg jij het vond dat Thomas en hij niet met elkaar spraken?'

Sarah haalt haar schouders op.

'Ga je nu bij je tante Fie wonen? Of bij die tante Monica? Heb je andere plannen?'

Sarah antwoordt niet.

Als ze thuiskomt, hoort ze stemmen in de serre. Zeker buren of kennissen die zo nodig afscheid van Thomas moeten nemen, denkt ze. Jarenlang hebben ze achter zijn rug geroddeld en hem verdacht gemaakt en nu staan ze vast om het hardst te roepen dat het zo erg is dat hij dood is. Stelletje huichelaars!

Ze loopt meteen de trap op naar haar kamer.

Mevrouw Bloem komt met een kom warme soep naar boven.

'Ik hoef niks!'

Even kijkt mevrouw Bloem haar meewarig aan. Dan zegt ze: 'Komt er nooit een eind aan bij jullie? Het is vreselijk zoals jij je grootvader negeert.'

'Daar heb ik zo mijn redenen voor!'

'Moet je jezelf nou eens horen. Twee druppels water je grootvader. Hij heeft net zo goed verdriet als jij hoor!'

Sarah haalt geïrriteerd haar schouders op.

'Mens, bemoei je met je eigen zaken!' zegt ze.

Sarah neemt een douche en trekt een pyjama aan. In de muziekkamer loopt ze rusteloos heen en weer. Haar vingers strelen de toetsen van de piano. Bij de eerste klanken rilt ze. Muziek maken terwijl Thomas in de serre ligt opgebaard en morgen wordt begraven? Of wil ze juist muziek maken omdat hij nog in huis is?

Sarah gaat de trap af en loopt de werkkamer van Thomas in. Haar vingers glijden over de foto's van de fotowand. Ze pakt de fotolijst met de foto van Max van het bureau en staat er even mee in haar handen. Als ze de lijst omdraait, ziet ze haar eigen lachende gezicht dicht bij het hoofd van Thomas.

Sarah glimlacht. Die foto hebben ze wel vijf keer over gemaakt. Het was een heel gedoe met die zelfontspanner. Sarah zet de fotolijst terug en pakt de vulpen van Thomas. Ze loopt naar het rek met cd's en roetsjt met de pen langs de doosjes.

Uit gewoonte graaien haar handen in de prullenbak op zoek naar snippers. Ze vormt er een briefje van en leest:

Vind je het niet vreselijk dat moeders slapeloze nachten hebben door jou?

Ze gooit de snippers terug. Verdrietig loopt ze naar haar kamer, sluit de gordijnen en gaat in bed liggen.

Enkele uren later wordt ze wakker. Het is pikkedonker geworden. Op haar wekker ziet ze dat het bijna middernacht is. Zachtjes glijdt ze uit bed. Voorzichtig opent Sarah haar kamerdeur en gaat zonder geluid te maken de slaapkamer van Thomas in. Ze opent zijn klerenkast en laat haar vingers langs de kleding van Thomas gaan. Ze snuift hartstochtelijk de geur op die er in zijn kleren hangt en drukt een jasje dat Thomas veel droeg tegen haar gezicht. Ze rilt van de kou en trekt de badjas van Thomas aan. Behaaglijk zet ze de grote kraag rechtop.

Plotseling trekt Sarah de keurig geordende stropdassen van het rekje en legt ze op het bed van Thomas met alle dunne uiteinden naar een kant. De das die zij voor Thomas kocht, is er niet bij. Sarah zoekt nog eens goed in de kast, maar de das is nergens te vinden. Zorgvuldig kiest ze kleuren bij elkaar en maakt er groepjes van. Ze vlecht de smalle gedeelten van de dassen in elkaar. Ze knijpt haar ogen bijna dicht en bekijkt het effect door haar wimpers. Het gevlochten stuk met de kleurige brede uiteinden lijkt op een enorme bos bloemen. Tevreden legt ze hem op haar arm en gaat zo behoedzaam de trap af dat er niet een tree kraakt.

Langzaam drukt ze de deurkruk van de huiskamer omlaag en stapt geruisloos naar binnen.

Te laat merkt ze dat ze niet alleen is. Grootvader zit naast de kist met zijn rug naar haar. Hij praat hardop.

'Het spijt me zo, jongen. Waarom zien we de dingen pas goed als het te laat is? Sarah heeft mijn ogen geopend. Ik had je zo lief! Heb je dat gevoeld?'

Sarah is al te dicht bij de serre om ongezien te verdwijnen, maar ze wil ook niet weg. Ze kucht zachtjes. Grootvader draait zijn hoofd om.

Op dat moment ziet Sarah dat Thomas het pak aan heeft dat hij zo mooi vond, en haar stropdas om.

'Thomas heeft geen pyjama aan', stamelt ze.

'Eerst wel', zegt grootvader zacht. 'Bedoelde hij het zo?'

Aandachtig bekijkt ze Thomas en knikt sprakeloos. Ze drapeert de dassen als een waaier over Thomas heen en duwt de uiteinden van de vlecht onder zijn handen.

'Er moet muziek bij', zegt ze. 'Ik zal zijn cd-speler hier neerzetten en zijn lievelingscd's uit zijn kamer halen.'

Dan ziet ze een grote vaas met kleurige bloemen.

'Heb jij bloemen gekocht?'

Grootvader knikt en steekt een hand uit.

Alsof het Thomas is, glijdt ze bij hem op schoot.

Ze wrijft haar wang tegen het gezicht van grootvader.

'Ik wil bij Thomas blijven', fluistert ze.

Grootvader drukt haar tegen zich aan en geeft haar onhandig een zoen.

'Ik wilde ook bij Thomas blijven.'

Minutenlang zeggen ze niets.

'Sarah...', zegt grootvader zacht.

Ze nestelt zich tegen hem aan.

'Mmmm', zegt ze.

'Ik ben zo blij met je', zegt hij.